デジタルエシックスで日本の変革を加速せよ

対話が導く本気のデジタル社会の実現

Invitation to
Digital Ethics

今岡 仁（NECフェロー）
松本真和　伊藤宏比古
井出昌浩　島村聡也

ダイヤモンド社

はじめに

昨今の深層学習の進化や生成ＡＩによる変革により、世界のデジタル社会は大きく変わろうとしています。２０２３年は、日本でもChatGPTブームが起こり、これほどＡＩの技術が日本社会で話題になった1年はなかったと思います。

一方で、社会のデジタル化という面から見てみると、世界デジタル競争力ランキングにおいて、日本は２０２３年もビッグデータとアナリティクス活用の指標で64カ国中最下位にとどまり、世界から取り残された状況にあります。

この現状をどう捉えたらよいのでしょうか。日本社会の平均年齢はすでに48・1歳（国立社会保障・人口問題研究所推計）であり、これからさらに高齢化が進むことが予想されています。また、ピークであった１９９５年には８７１６万人だった生産年齢人口も、総務省の推計では２０６５年には４５２９万人になり、どんどん人手が足りなくなる状況です。デジタルというと、最近のデジタル犯罪やＳＮＳでの誹謗中傷などの負の側面もあって、もう十分と思われている方もいらっしゃると思いますが、その一方で、スマートフォンで気軽にわからないことを調べられるなど、社会活動に大いに役立っている面もあります。

このように、正負の両側面を持つデジタル技術に対して、日本社会、そして一人一人の市民としてデジタルとどう付き合ったらよいかという問題はより難しくなっており、もう使わなくてもいいや、プライバシーが心配だからあまり手を出さなくてもよいのでは思ったりする人も、もしかしたら多くなっているかもしれません。デジタルの技術を使うか使わないかはもちろん個人の選択に任されていますし、強要されるような社会は望ましくありません。ただ一方で、電子決済やマイナンバーカードなど、社会にデジタル技術を使ったサービスが増えてきているのも確かです。

このような社会状況の中で、どのようにデジタル社会と付き合っていくかということを考えるために役立つものの一つに、「倫理（エシックス）」があると考えています。倫理というと、学生時代に習った難解な学問のように思ってしまうかもしれませんが、どう行動するかを考えるための基本を議論し、対話するための重要な考え方です。デジタルに代表される技術を社会でどう使っていくかはルールや倫理によって成り立っており、技術のことを知るだけではなく、倫理を知ってもらうことにより、社会に浸透しつつあるデジタル技術とよりうまく付き合う方法を考えてもらいたいというのが本書の主題です。

最近、生成ＡＩが流行りではありますが、生成ＡＩというような狭い枠でデジタルトランスフォーメーション（ＤＸ）を捉えるのではなく、技術と倫理という枠で、より広く社会を捉えて、社会全体のＤＸの流れを理解した方がよいと思っています。本書には、ＡＩやデータ利活用全般を意識して、どのようなフレームワークがあるか、どのような具体的な事例があるか、それに対してどのように考えているかを中心に書いています。世界の有識者の考え方を含め、いろいろな方の考えを載せましたので、今後、デジタル技術を活用したいと考えている方にも参考になると思います。まだ考えが不十分で、もっと別の考えの方がよいと思われる部分もあるかもしれません。実はそのように考えてもらえたら本書は成功です。まさに、デジタルとエシックスを考え始めたことになるからです。

第1章は、日本社会が置かれた現状について書きました。世界のランキングを見れば、かなり難しい状況ではありますが、エシックスに基づく対話を始めることにより、より社会が変わっていくきっかけとなるかもしれないと思っています。

第2章には、デジタル倫理の基本を書きました。まず倫理とは何かというところから始めて、倫理の3つの考え方、デジタル倫理の歴史を書いています。

第3章と第4章は、社会のデジタル化が進んだ国であるデンマークについて書きました。デンマークは世界競争力ランキング1位の国です。もちろん、デンマークが全て素晴らしく日本は遅れていると言いたいわけではなく、デンマークにおけるデジタル化の歴史やサービス、現在の取り組みを、日本のDXの参考にしたいという意図です。

第5章は、著者らの所属するNECにおける日本の事例を中心に書きました。日本では、デジタルエシックスの実社会における適用は始まったばかりです。私たちもどう考えるべきか、苦労しながら取り組んでおり、その過程を紹介したいと思います。

第6章は、第3章で紹介するデンマークのデジタルエシックスのフレームワーク以外の、これからエシックスを社会実装していく上で役立てられるフレームワークについて書きました。

第7章では、今後の社会に向けて、キーとなる観点や、日本社会への提言をまとめました。著者である我々も今後、"Truly Open, Truly Trusted"な社会の実現に向けて、その一員としてしっかり取り組んでいこうと考えています。

最後に、本書の付録として、世界のＡＩのガイドラインをまとめました。法やルールとエシックスは表裏一体です。この分野に興味を持たれている方、また企業活動をする上で法やルールについて全般的な知識を得たいという方にお薦めです。

本書が日本のＤＸを進めるきっかけの一つになれば幸いです。ぜひ、お読みください！

目次 Contents

第1章

世界競争力ランキングに見る日本の現状

Invitation to Digital Ethics

年々、低下を続ける日本の競争力

世界競争力ランキングでは64カ国中35位

コンピュータ、インターネット、クラウド、スマートフォンと、この数十年でＩＴ技術は目を見張る速さで進歩し、私たちの仕事も生活も大きく様変わりしました。生成ＡＩに代表されるＡＩの進化と活用によって、第二の産業革命ともいえる大変革が始まっているという見方も出てきています。

技術の進歩は、開発者にとっては必然的なものであっても、社会から見れば偶発的な場合も少なくありません。ChatGPTの登場に驚かされた人が多かったことを思い返してみてください。そこで技術の進歩をいかにうまく取り入れて、どのような未来を作っていくのか、グランドデザインを考え続けることが重要なのです。

それでは、現在の私たちの状況はどうでしょうか？　技術の進歩をうまく取り入れて、望ましい社会へと着実に進んでいるでしょうか？

世界各国で、民間企業や公共機関、さらには個人レベルでも、デジタルトランスフォーメーション（ＤＸ）、つまりデジタル技術を活用した変革が進められています。業務の効率化だけでなく、ビジネスや社会、そして生活をよりよいものにするための試みが始まっているのです。

しかし日本においてはどうでしょうか？　企業でも公共機関でも、変化を恐れてなかなか変革に取り組めない、構想はしてみるものの実践へと進めない、検討に時間をかけている間に状況が変わってしまうといったケースが多いのではないでしょうか。特にプライバシーやデータ活用、ＡＩによる自動化といった、慎重な検討が必要な要素が関わる場合には、「政府の方針や法規制が整ってからにしよう」「他社の動向を見極めてから考えよう」といったように様子見状態に陥って前に進めなくなる組織も多いのではないでしょうか？

先にも述べたように、世界は前へと進んでいます。その中で、日本は取り残され始めていると感じている人も多いのではないでしょうか。

それを客観的に指摘しているのが「世界競争力ランキング」です。「世界競争力ランキング」は、スイスのビジネススクールである国際経営開発研究所（International Institute for Management Development、以下ＩＭＤ）の世界競争力センター（World Competitiveness Center）が発表している『世界競争力年鑑』に掲載されたランキングです。主要国を対象に、統計データや独自のアンケート調査結果などの指標を基に、ビジネスにおける国際競争力を、その国におけるビジネスのしやすさという観点から評価したもので、１９８９年から毎年発表されています。

２０２３年６月に発表された２０２３年ランキングの調査対象は64カ国・地域で、上位30カ国・地域は左ページの表のとおりです。

いわゆる経済大国が上位を独占しているわけではなく、ヨーロッパの国が多く、中でも北欧諸国やスイス、オランダといった国々が上位に入っていること、アジア、中東諸国が上位に食い込んでいることが読み取れると思います。

日本は、２０２２年の34位からさらに順位を落として35位でした。アジア太平洋地域でも、14カ国・地域中11位にとどまっています。日々、グローバルな業務に携わっていれば「こんなものだろう」と思う方もいらっしゃるでしょうし、「ジャパン・アズ・ナンバー1」「技術立国ニッポン」の時代を経験した方の中には「そんなはずはない」と思う方もいらっしゃることでしょう。

ランキングの推移（次々ページ）を見てみると、日本は１９９２年まで1位、１９９６年まではトップ5に入っていたのですが、１９９７年に一気に17位になって以降、順位は上下しながらも低下傾向を続け、２０１９年以降は30位台にとどまっています。言い換えれば、ビジネスの競争力で見れば日本はすでに世界のトップグループにはなく、中位国に過ぎないと評価されているのです。一人当たり名目ＧＤＰの推移が２０２２年にはＯＥＣＤ38カ国中21位、Ｇ７最下位となったことからも、この位置付けは妥当なものであると言わざるを得ないでしょう。

世界競争力ランキング 2023 上位30カ国・地域と日本

順位	国	順位	国
1	デンマーク	16	アイスランド
2	アイルランド	17	サウジアラビア
3	スイス	18	チェコ
4	シンガポール	19	オーストラリア
5	オランダ	20	ルクセンブルク
6	台湾(中国)	21	中国
7	香港特別行政区	22	ドイツ
8	スウェーデン	23	イスラエル
9	アメリカ	24	オーストリア
10	アラブ首長国連邦(UAE)	25	バーレーン
11	フィンランド	26	エストニア
12	カタール	27	マレーシア
13	ベルギー	28	韓国
14	ノルウェー	29	イギリス
15	カナダ	30	タイ

〜〜〜〜〜〜〜〜〜〜〜〜〜〜〜〜〜〜〜〜〜〜〜〜〜〜〜〜〜〜〜〜〜〜〜〜〜

35	日本

国・地域名は出典に準じる

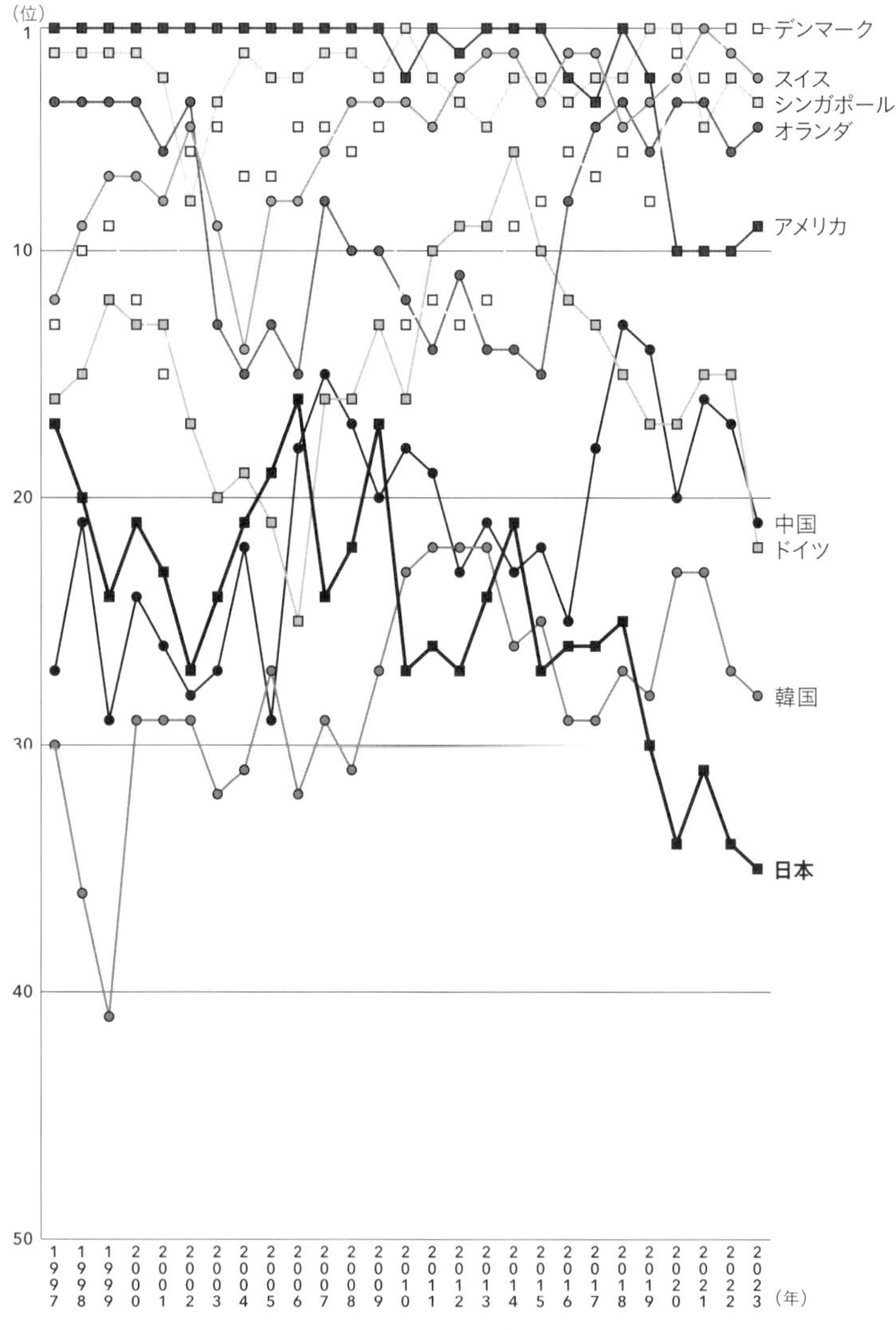
世界競争力ランキングの推移（1997～2023年）
（位）
1
10
20
30
40
50
1997
1998
1999
2000
2001
2002
2003
2004
2005
2006
2007
2008
2009
2010
2011
2012
2013
2014
2015
2016
2017
2018
2019
2020
2021
2022
2023
（年）
デンマーク
スイス
シンガポール
オランダ
アメリカ
中国
ドイツ
韓国
日本
© 2006-2023 IMD - International Institute for Management Development

それではなぜ、日本は世界の中位国にとどまっているのでしょうか。

世界競争力ランキングは、各種統計や識者への調査等から成る333の評価基準を、大きく4つの要素、さらに20の指標に分類して集計しています。4つの要素と、それに含まれる指標は次のとおりです。

・経済状況：国内経済、貿易、国際投資、雇用、物価
・政府の効率性：財政、租税政策、制度的枠組み、ビジネス法制、社会的枠組み
・ビジネスの効率性：生産性・効率性、労働市場、金融、経営慣行、姿勢・価値観
・インフラ：基礎インフラ、技術インフラ、科学インフラ、健康・環境、教育

それでは、各要素における日本の順位を見てみましょう。

・経済状況：26位（前年20位）
・政府の効率性：42位（前年39位）
・ビジネスの効率性：47位（前年51位）
・インフラ：23位（前年22位）

この順位を見ると、特にビジネスの効率性や、政府の効率性が低位で、もはや調査対象国・地域の中で下位グループと評価されていることがわかります。さらに細かく分けた20の指標では、経済状況の要素である「雇用」は5位、インフラの要素である「科学インフラ」「健康・環境」は8位と比較的上位にあり、まだ底力はあるが、それをうまく生かせていないといった解

釈もできるでしょう。一方で、ビジネスの効率性の要素である「生産性・効率性」が54位、「経営慣行」が62位、「姿勢・価値観」が51位となっています。まとめれば、経営慣行や姿勢・価値観のせいで生産性・効率性が低いということになるでしょう。それは、DXへの取り組み姿勢や実践の遅れが大きな要因であることは、想像に難くないのではないでしょうか。

◎世界デジタル競争力ランキングの示唆

そのことを確かめてみるために、日本のデジタル化の状況はどう評価されているかを「世界デジタル競争力ランキング」で見てみましょう。「世界デジタル競争力ランキング」は、「世界競争力ランキング」同様、IMD世界競争力センターが発表しています。デジタル技術の採用や追求に積極的に取り組んでいるかを評価したもので、2017年から毎年発表されています。

まずは、2023年11月に発表された2023年ランキング（調査対象64カ国・地域）の上位30カ国・地域を見てみましょう（左ページの表）。

上位を占める国の傾向は「世界競争力ランキング」同様ですが、アメリカが1位（競争力ランキングは9位）、韓国が6位（同28位）と、競争力ランキングよりも高く評価されている国がいくつかあります。

日本は32位という結果で、2022年より3つ順位を下げています。アジア太平洋地域では14カ国・地域中8位です。デジタル競争力ランキングでも、日本の順位は年々、低下していま

世界デジタル競争力ランキング 2023 上位30カ国・地域と日本

順位	国	順位	国
1	アメリカ	16	オーストラリア
2	オランダ	17	アイスランド
3	シンガポール	18	エストニア
4	デンマーク	19	中国
5	スイス	20	イギリス
6	韓国	21	アイルランド
7	スウェーデン	22	オーストリア
8	フィンランド	23	ドイツ
9	台湾(中国)	24	チェコ
10	香港特別行政区	25	ニュージーランド
11	カナダ	26	ルクセンブルク
12	アラブ首長国連邦(UAE)	27	フランス
13	イスラエル	28	リトアニア
14	ノルウェー	29	カタール
15	ベルギー	30	サウジアラビア

〜〜〜

32	日本

© 2006-2023 IMD - International Institute for Management Development
国・地域名は出典に準じる

日本が評価の高い指標

要素	指標	順位
知識	教育評価（PISA：数学）	5
	都市経営	9
	高等教育の生徒／教師比率	3
	高等教育修了率	6
	女性の学位取得者率	6
	R&Dへの公的支出	6
	ハイテク関連特許比率	6
	教育R&D用ロボット数	6
技術	ITとメディアの株式時価	10
	ワイヤレスブロードバンド加入者数	2
未来への備え	行政のオンラインサービス	1
	世界における産業用ロボット設置シェア	2
	ソフトウエア著作権遵守	2

© 2006-2023 IMD - International Institute for Management Development

す。

世界デジタル競争力ランキングは、知識、技術、未来への備えの3要素と、それぞれの要素を細かくした9の指標で評価をしています。それぞれの内容は次のとおりです。

- 知識：人材、トレーニング、科学に対する重点的な取り組み
- 技術：規制枠組み、資本、技術枠組み
- 未来への備え：適応度、ビジネスのアジリティ、IT総合

この3要素における日本の順位は、知識が28位、技術32位、未来への備え32位と、項目による差はあまりありません。ですが、各要素の指標まで見てみると、上の表の項目は10位以内という高い評価を受けています。

一方で、左ページ上の表の指標は50位以下と、極めて低い評価にとどまっています。

日本が評価の低い指標

要素	指標	順位
知識	シニアマネジャーの国際経験	64
	外国人高度技能人材数	54
	デジタル／技術スキル	63
	教育への公的支出	53
	女性研究者比率	57
技術	移民法（外国人労働者の雇用しやすさ）	61
未来への備え	スマートフォン保有率	55
	企業の機会と脅威への対応	62
	企業のアジリティ（敏捷性）	64
	ビッグデータとアナリティクスの活用	64

60位台と、評価対象国中最下位レベルにある指標からは、日本がまず解決すべき4つの課題が浮かび上がってきます。グローバル化、デジタル／技術スキル、ビッグデータとアナリティクスの活用、企業のアジリティ（敏捷性）です。

グローバル化に関しては、企業の海外展開と海外からの人材活用が進んでいないことが問題として挙げられています。これは必ずしもグローバル化の本質ではないものの、ここには日本の保守性・内向き志向が表れているといえ、デジタル化の遅れと同根の課題ともいえます。デジタル化を進めるには、変化を受け入れる必要があります。変化を嫌い、新しいことに手をこまねいているようではデジタル化は進めようがないからです。

そしてデジタル・技術スキルの低さは、デ

ジタル化に直結する課題ですが、これも、従来の方法にこだわり、変化を嫌う保守性の結果といえるでしょう。人材育成を未来の投資と考えず、費用と捉える短期志向の傾向も要因として挙げられます。ビッグデータとアナリティクスの活用が進んでいないのも、スキルの低さと保守性の表れです。

最後に、アジリティの欠如は、ここまで指摘してきた内向き思考、保守性を考えれば、当然の結果といえるのではないでしょうか。とはいえ、「企業の機会と脅威への対応」「企業のアジリティ」「ビッグデータとアナリティクスの活用」が調査国中最低水準にあることは深刻に捉える必要があるでしょう。

ランキング上位国との違いは?

デジタル競争力ランキングで日本が低評価を受けた指標のうち、企業活動に直結するものを上位国と比較してみました（左ページ表）。

日本ではデジタル化に関してはアメリカやシンガポールをベンチマークにしがちですが、こと日本が低評価を受けた指標に関しては、これらの国々も決して上位の評価を受けているとは限らないことが読み取れます。ランキング6位の韓国も、これらの指標では中〜下位にとどまっており、日本と同じ課題を抱えていることが浮かび上がってきます。また、企業活動に関しては台湾の高評価が目を引きます。

2023 ランキング上位国・地域との比較

	シニアマネジャーの国際経験	デジタル／技術スキル	企業の機会と脅威への対応	企業のアジリティ	ビッグデータとアナリティクスの活用
アメリカ	17	9	20	19	4
オランダ	3	5	9	10	13
シンガポール	11	12	16	24	11
デンマーク	12	4	6	3	6
スイス	1	16	10	7	30
韓国	51	48	43	28	31
スウェーデン	14	10	32	11	9
フィンランド	22	2	27	23	18
台湾（中国）	40	32	5	1	1
香港特別行政区	8	15	4	6	23
日本	64	63	62	64	64

国・地域名は出典に準じる

注目したいのは、日本が低評価だった項目の多くで高い評価を得ているオランダ、デンマーク、スイスというヨーロッパの国々です。いずれも経済大国ではありませんが、競争力ランキング、デジタル競争力ランキングとも上位を保ち続けているだけでなく、国連の持続可能な開発ソリューションネットワーク（ＳＤＳＮ）が発表する「世界幸福度ランキング」でも上位に評価され続けています。

この比較からも明らかなように、現在の日本の課題を解決するヒントは、これらの国々にあるのではないかというのが、私たちの考えです。それは何かを考える前に、今一度、日本の現状を振り返ってみたいと思います。

日本に停滞をもたらしているもの

デジタル化が進まない原因は？

デジタル化と聞いて、まず思い浮かべる言葉は何でしょうか？　ＡＩ、効率化、自動化、利便性等々、デジタル化のメリットに関する言葉を思い浮かべる人も多いでしょうが、同時に、デジタル化によって生じる課題の数々も指摘されています。

例を挙げてみましょう。皆さん、いくつご存じでしょうか？

・データの収集と利用の危険性
・データの漏洩と不正利用
・オープンデータの取り扱い
・個人情報の保護
・セキュリティ
・サイバーいじめ
・オンラインハラスメント
・デジタルフットプリント
・フェイクニュース
・デジタル依存症
・炎上リスク
・監視社会
・デジタルリテラシー
・デジタルデバイド
・ＡＩによるホワイトカラーの失業問題
・ＡＩの安全性

・ＡＩアルゴリズムの透明性
・ＡＩに対する人間の判断の関与
・自動運転車による事故の責任問題
・ＡＩの軍事利用
・ＡＩの判断における多様性の確保
・労働搾取
・有害情報の排除

半分以上知っていて内容も説明できる方、おめでとうございます。あなたをＤＸ人材マスターに認定します――と言いたいところですが、実際にはそれこそが足かせになっている場合もあるのではないでしょうか？　こんなに問題点を並べられたら、誰でも後込みしてしまいます。多くの企業でＤＸのお手伝いをしてきて、私たちが今感じている危機はそこにあります。

もちろん、ここに挙げた課題には、この本のテーマであるデジタルエシックスに関わるものも多く、どれ一つとして軽視してよいものはありません。

ですが、ＤＸに限ったことではありませんが、現在抱えている課題を解決したいときや新しいことに挑戦しようとするとき、最も重要で、まず考えなければならないのは、個々人が幸せな社会であるために、どんな世界を作っていきたいのか、そのために何を実現する必要があるのかということではないでしょうか。そのためには何をしなければならないのか、そしてそこにはどんな課題があるのか。始める前から漠然と不安を覚えるのではなく、具体的な手順に落としていく過程で、出てきた問題への対処方法を検討していけばよいのではないでしょうか？

心配性であることは悪いことではありませんが、度が過ぎて悲観的になってしまうと、前に進むことができなくなります。日本社会では、「失敗を犯さない」ことが重視されがちですが、新しいことへの挑戦には、失敗が付き物です。それなら、小規模なテストから始めて「小さな失敗」を重ね、徐々に最終的な目標に近づけていくという方法もあります。デザイン思考的、アジャイル的アプローチです。


最初にも述べたように、現在は「第二の産業革命」ともいわれる変革の時代のまっただ中にあります。そこでは、技術と社会の関わりがより密接になろうとしています。次の時代のありたい姿を自ら追求し、実現していくためのチャンスが今まさに、やってきているのです。

そこで、悲観に陥りがち、後込みしがちな日本社会、中でも日本企業に欠けているもの、必要なものは何でしょうか？

私たちは、「目的（パーパス）」と「倫理（エシックス）」の2つを挙げたいと思います。

「パーパス経営」という言葉を耳にすることが増えていますが、パーパスとは、一言で言えば企業の社会的存在意義です。「我が社はなぜ、そのような事業を行っているのか？」「我が社は何のために存在するのか？」といった根源的な問いに対する答えがパーパスです。多くの企業は明確なパーパスを持って創業したはずです。ですが、時間が経って規模が拡大し、事業内容も変わっていくと、創業当初のパーパスは形骸化し、また、現在の姿とも合致しなくなりがちです。そこであらためてパーパスを定義し直すことで、自社が目指す姿や、そのために行わなければならないことが見えてくるはずです。パーパスに従って考えていけば、そのためにデジタル技術をどう活用するのか、何をしなければならないかも明確になってくるはずです。

一方、倫理については、ピンと来ないという人も多いかもしれません。学生のときに習った倫理という言葉は、ソクラテスに代表されるような観念的なもので、企業活動とは結び付かないと感じるかもしれません。また、倫理というと、行動を規制する言葉と捉えている方も多いでしょう。「企業倫理」という言葉もありますが、それは法令やガイドライン等、外部からの「規制」を遵守することが軸となっています。それに対して、ここで挙げた倫理は、自ら考え、生み出していくものです。倫理は「守らなければならない」だけのものではなく、倫理に基づいて行動を変えることにより、より多くの人が納得できる大きな活動ができるようになり、最終的には私たちの社会に大きなアドバンテージを与えてくれるものだと考えています。

倫理がもたらすアドバンテージ

それでは、倫理によるアドバンテージとは何でしょうか？

それが最もよく表れるのは、デジタル化など、これまでにないことに挑戦するときです。

自動運転車など、社会に大きな影響を及ぼしそうな新しい技術やアイデアが現れたときは、多くの場合、法による規制が検討されます。しかし、法整備には時間がかかります。しかも、法整備にかかる時間は国によって大きく異なり、また、法規制の内容も違います。変化の激しいデジタルの世界では、法整備を待っている間に他国でその技術やアイデアが実装されたり、先行して市場を席巻してしまうこともあります。

かといって、社会的影響について考えず、遮二無二スタートしてしまうのは危険極まります。その結果、社会に大きな悪影響を及ぼしてしまうのは、社会的責任の観点から何としても避けるべきです。また、一企業・一個人の独断専行によって、新しい技術やアイデア、そしてその先に広がる新しい世界の可能性をつぶしてしまうことにもなりかねません。

法だけではなく、社会的承認を得られるかどうかという問題もあります。どんなに素晴らしい技術やアイデアも、社会に受け入れられなければ、実を結ぶことはありません。実際に、大きな注目を集めながらも、社会的承認を得られずに消えていったデジタルサービスや企業は少なくありません。

先述のように、このような是非のグレーゾーンにある技術やアイデアに対しては、日本企業は、法整備や社会的承認を待ったり、同業他社の動向をうかがうといった受け身の姿勢になりがちです。ＤＸにおいては、これが世界に遅れを取る大きな要因になっているといえるでしょう。

このようなグレーゾーンにこそ、有効に適用できるのが倫理です。誰にどのような影響を及ぼすのか、どのような問題を引き起こす可能性があるのか、そして問題を回避する方法は？　こういった課題を自ら考え、ポリシーを決めて守るべき基準を作り、それを維持していく体制を構築すれば、法や社会的承認を待たなくとも、新しい技術やアイデアを一歩ずつ進めていくことができるのではないでしょうか。倫理的課題についてきちんと対話を行い、検討を重ね、その過程をステークホルダーに開示することは、後に何らかの問題が生じたときに損失を大きく抑えることにつながるでしょう。また、経済産業省が行ったガバナンス・イノベーション検討では、このような場合、たとえば、事故発生時の調査協力に速やかに応じ、必要な改善を約束するなどの一定の条件を満たした場合には、罰則を免除しようという議論も出ています。

倫理と聞くと、やりたいことにブレーキをかけるものという印象を持っている人も多いかもしれませんが、倫理は、足踏み状態を解消して前に進ませるアクセルの役割を果たすこともできるのです。これが第一のアドバンテージです。

そして、倫理という観点から検討するには、多くのステークホルダーに及ぼす影響を考慮する必要があります。意外なところに影響が出てしまうことが多いデジタル技術ではなおさらです。どんなステークホルダーがいるのか、想像力が試されます。そこで最も有効な方法は、ダイバーシティを確保することです。企画や開発部門だけでなく、実際に顧客と相対する営業部門やサポート部門、最終的な意思決定をする経営部門など、多くの立場の人が倫理的検討に加わることで、より幅広い視点からの検討が可能になります。年齢や性別にもダイバーシティが必要なことは言うまでもありません。また、ステークホルダーとの意見交換や調整が必要になる場合も多いでしょう。それは、進めようとしている事業や自社の立ち位置を再検討する機会にもできます。倫理を考えることは、多様な視点を育み、自社のパーパスを見直す機会も提供してくれるのです。この点が、第二のアドバンテージといえます。

そして、第三のアドバンテージは、より根源的なものです。

第2章でも触れますが、倫理は法やガイドラインよりも広い概念です。より正確に言えば、倫理とは、その社会の多くの人に共有される社会規範であり、法はその最低限度の規範を守らせるための強制手段です。日本人は、法を守ることは得意ですし、さらに言うならば、根拠がなくても他人に合わせる、いわゆる「空気を読む」ことにも長けています。しかし、法の基盤となる倫理については、深く考えない傾向が強いのではないでしょうか。

社会規範である倫理は、「空気」によって醸成されるものではなく、社会によって、すなわち人々の考えと、考えの違う人同士の対話によって生み出されます。誰もが自らの意見を出し合い、話し合う中で定まってくるものなのです。そして社会的合意を得た倫理は、人々の行動規範となります。

今、世界には、環境問題、サーキュラーエコノミーへの移行、人権問題、貧困問題など、多くの社会的課題が山積しています。デジタル化に伴って生じる可能性のある弊害も、その一つです。政府だけでなく、企業も、これらの解決にいかに貢献するかが問われる時代になってい

倫理がもたらすアドバンテージ

①足踏み状態を解消して、前に進ませるアクセルの役割
②多様な視点を育み、パーパスを見直す機会を提供
③対話による社会的合意と行動規範の確立

社会的課題に気付き、解決策を考える糸口が提供される

イラスト：iStock.com/Mykyta Dolmatov

ます。そしてこれらを解決しようとする意志の根底には倫理があることは容易に理解できると思います。

倫理を考えることは、社会的課題に気付き、解決策を考える糸口を与えてくれるのです。そしてその解決策は、まさしく未来の事業の種となります。倫理を抜きにしてビジネスは考えられない時代がやってきつつあります。上の図は、倫理のアドバンテージをまとめてみたものです。倫理は氷山の水面下の部分に位置付けられています。本書の主題である倫理は見えにくいものですが、社会において大きな役割を果たすものでもあります。

倫理は、新たな競争力の源泉として活用できるのです。

デジタルエシックスを考える意味

ここであらためて、デジタルテクノロジーやデジタルサービス・プロダクトに関する倫理である「デジタルエシックス」を、さまざまな立場から考える意味を検討してみたいと思います。

第2章で詳しく述べますが、もともとデジタルエシックスや科学技術倫理は、その歴史の大半においては、専門家のためのものでした。しかし、科学技術が及ぼす影響やその責任の大きさが社会全般に広がるようになっていくにつれ、ビジネスパーソンや一般の人々にとっても重要なものになってきています。

たとえば、ビジネスパーソンにとっては、ＧＤＰＲ（ＥＵ一般データ保護規則）に代表されるような規制は対応が必須のものとなっていますし、デジタルテクノロジーに限らず、社会的・環境的パフォーマンスと説明責任、透明性に関する厳格な基準を満たしている企業が取得できる「B Corp」という国際認証も注目を集めています。このような認証の取得は、デジタルエシックスを考慮した活動も含め、最低限の要件を満たす以上の企業と認識され、企業価値を高める活動といえるでしょう。

また一般の人々にとっても、デジタルエシックスを考えることは、社会の構造的問題を認識するだけでなく、私たちが望む、ありたい未来社会はどのようなものか？　その問題にいかに対処するのかを考えることと切り離せなくなってきています。たとえば、ある企業が採用時に応募書類のフィルタリングにＡＩを用いたところ、ＡＩの学習に用いたデータに女性の採用データが少なかったため、女性の評価が不利になるバイアスがかかっていることがわかった事例があります。これは、その企業では男性が有利に採用されていたという構造的問題を認識するきっかけになったわけですが、どのように公平性を設定するのかというのは難しい課題です。男性／女性の採用数を〝平等〟にするならば、採用数を男女同じにすることが考えられます。しかし、〝公平〟にしようとした途端、男性／女性に関係なく採用されるべき人が採用されることが望ましいのか、はたまた、今までの構造的問題を是正するために女性に有利な採用が望ましいかなど、多様な主張があり得るからです。これは、まさに私たちが望む、ありたい未来社会を考えるということになるでしょう。

倫理的思考をサポートするツール

改めて考えてみると、「顧客志向」「商道徳」など、実は日本でもなじみの深いビジネスにおける不文律の中には、倫理につながるものも多いのですが、仕事を行う上で、改めて〝これは倫理的か？〟と突き詰めて考えたことのある人はどのくらいいるでしょうか？　特にデジタルの分野は、技術進歩のスピードに加えて、これまでの常識が通用しないことも多く、デジタルの世界における倫理と言われても見当を付けにくいのも事実です。正直に言えば、私たちも論点のあまりの幅広さと深さに悩むことが多かったのです。

そんな中、デジタルエシックスのガイドラインとなり、さらにはデジタルエシックスを事業に活用していくためのトレーニングにもなるツールと巡り合いました。それが、第3章で紹介するデンマークデザインセンターが開発した「デジタルエシックスコンパス」です。続く第4章で述べますが、デンマークの企業の多くでは、日常の業務の中に倫理思考が根付いており、それは、「デジタルエシックスコンパス」を生み出した基盤ともなっています。デンマークが「世界デジタル競争力ランキング」「世界競争力ランキング」の両方で上位に評価されていることは、倫理思考に基づいて自らの責任で行動できることが大きな要因となっているのではないかと、私たちは考えています。

この「デジタルエシックスコンパス」については第3章で詳しく紹介しますが、その前に、まずはデジタルエシックスに至る倫理の歴史について振り返ってみたいと思います。

経営からの視点

技術とエシックスの両輪を変革の推進エンジンに

ＮＥＣ執行役Ｃｏｒｐｏｒａｔｅ ＥＶＰ兼ＣＤＯ兼デジタルプラットフォームビジネスユニット長
吉崎敏文

急激に進歩するＩＴでパーパスを実現

これまで多くの企業や組織のＤＸをお手伝いしてきました。この間に、２０２１年以降のコロナ禍、そして働き方改革への取り組み等で、日本の社会は大きく変わりました。それまでは会社に出社し、関係者が一堂に会して会議をしていたのが自宅からでも参加できるリモートミーティングになり、印鑑が不要になったことに象徴されるように、ペーパーレス化、オンライン化も進みました。もう「ＤＸとは何ぞや？」という時代は終わり、誰もがその便利さに気付き、生産性が上がるとはこういうことなんだなと実感していると思います。ビジネスの現場も大きく変わり始め、今後はさまざまな変革が加速度的に進むフェーズに入っていきます。それと同時に、無駄だったところや効率化できる部分も顕在化してきています。今は、〝失われた30年〟を取り戻す時期に来ているのだと思っています。

日本はこれから人口が減っていきます。そうなると、ＩＴの力やＡＩの力を使って生産性を上げる必要が出てきます。変革の目的に応じてデジタルへのシフトとトランスフォーメーションをセットで進める必要がありますが、これまでの業務やビジネスを急にガラッと変えるのはなかなか難しいだろうと思います。むしろ、日本人の得意なカイゼンの形で「まずやってみる、実践に移してみる」ことが最も重要で、それこそが日本におけるＤＸの成功パターンだと考えています。全体のプロセスを見た上で、どこにＩＴやＡＩを入れると最も助かるのかを見極め、そこでテクノロジーを徹底的に利用していくのが、わかりやすい方法だと思います。

ＡＩは通常のソリューションやプロダクトとは違い、経営に資するものです。私たちが目指しているようなＡＩが身近に使えるようになったときに、急速に社会や企業が変わるかもしれないということを、これからの経営者は常に考えておく必要があります。大きくビジネス環境が変わる、しかも、ものすごく激しいスピードで、デジタルによって大きく変わってしまう。これからはそういったことが起こり得ます。

システム開発の世界においても、今までは数カ月かけて要件定義をして3年で作っていたのが、数週間で要件定義をして1カ月で作り、作っては直すというアジャイルの時代に入っています。これからは、あらゆる産業でそういった発想が必要になります。日本の製造業は完璧なものを作らなければという意識が強く、及第点の段階で次に進め、物を出せと言われると戸惑うのは当然です。そこで品質を落とさないで早く作ろうとするなら、ここだけは譲れない、押さえておかなければいけないという点を、みんなが持っておくべきです。それは倫理感であったり、企業のパーパスであったり、あるいは世界や日本のスタンダードかもしれません。

ぜひ、自社のパーパスや、実現したい目的を実践に移すための強力な支援ツールとしてITを活用してください。ITは縁の下の力持ちですが、ソフトウェア領域ではAIテクノロジー、ハードウェア領域では3次元微細化技術に象徴されるように、今後10年でさらに技術の進化が進みます。ネットワーク領域においても6Gで現在の100倍のパフォーマンスが出せるといわれています。高度なITツールが遠い存在ではなくなり、ものすごいコンピュータパワーが日々、どの企業でも、どの部門の意思決定の場でも使われるようになります。そこでITを使う人と使わない人では大きな差が出て来ることは言うまでもありません。逆に言えばうまく活用する企業こそ、これからの新しい成長企業になるのではないかと思います。

そこでは、技術以外にもう一本の柱が必要になってきます。改革を実現するためには、技術だけでは解けないこともありますし、ＤＸの優先順位を決めるときには企業全体、社会全体を俯瞰して、何が最も企業のパーパスに近いのか、プライオリティを決めて初めて技術を生かすことができます。技術だけではない、普遍的なよりどころになるものとして、「倫理」、「デジタルエシックス」を重視する時期に来ているのではないかと思います。本書で紹介するデジタルエシックスコンパスは、それを考える際の共通言語として、対話の土台になるものだと思います。

ＩＴ活用のよりどころとなるデジタルエシックス

私はＣＤＯを務めていますが、その直下には２つの部門があります。一つは生成ＡＩのチーム（NEC Generative AI Hub）で、もう一つがデジタルトラスト推進統括部です。デジタルトラストチームは、デジタルエシックスへの対応の要となっています。一般的にはデジタルトラストやエシックスというと変革のブレーキ役と考えられがちですが、私はそう思っていません。生成ＡＩチームとデジタルトラストチームは２つとも推進のための重要で必要不可欠なコンポーネントだと思っています。技術者は何をしていいのか、してはいけないかというガイドラインがないと、どこまでやっていいか迷うことがあります。この両方があることで、ＡＩなど最新テクノロジーが安心して活用され、市場が立ち上がっていくと考えています。

新しい技術が現れると必ず、推進すべきか規制すべきかという話になります。ＡＩを巡っては、ヨーロッパはＡＩ規則ができてかなり厳しく見ています。アメリカは比較的寛容でしたが、少し厳しい目に変わってきています。社内でも独自の生成ＡＩ(cotomi)を作ったときに同じ議論になり、技術者からは、これを使っていいのかどうかはっきりしてほしいという声が上がりました。そこでデジタルトラストチームが社内向けの活用ガイドラインを策定しました。それまでは、問題の可能性が指摘され利用を躊躇する人も多くいましたが、共通のガイドラインを策定してＣＤＯ、ＣＩＯ、ＣＴＯから社内に展開してから一気に利用が増えて、社内が急激に活性化しました。今ではグループ含め約２万人の社員が日々、さまざまな形で業務に活用するようになっています。ガイドラインを作ったら生成ＡＩの利用が止まるのではないか、先進的なテクノロジーに興味のある技術者が辞めてしまわないかという議論もあったのですが、実際には逆だったのです。この例が象徴するように、技術とエシックスの両方の立場から検討することで、生成ＡＩという新しい技術を正しく取り入れて生産性を上げ、それを会社を変える起爆剤にする可能性が開けるのです。

生成ＡＩチームはエンジニアやデータサイエンティストの集団で、一方、デジタルトラストチームはリーガルやガバナンス、トラスト、グローバル政策渉外の専門家から成っています。専門性が全く違うのですが、両者が話し合うことで現実の問題に即した判断ができることも多く、お互いに頼りにし合っています。視点も専門性も異なる２つの集団が連携することが大きな推進力となっているのです。

今後、テクノロジーの進化が急激に進む中で、お客さまや社内からの問い合わせに対して、それらを使っていいのか、どこにどう使うかを判断するよりどころとして、デジタルエシックスは重要な判断指針だと考えています。変革と成長を目指す中で、どのような価値を生み出し、どんな企業になりたいのか、もう1度パーパスを見直す時期だとも思います。日本企業はそれぞれ、企業理念に従って経営されてきたことと思います。劇的に環境が変わる中でも、脈々と培ってきた「守るべきこと」を、今こそ新たな形で再興し、社会と企業の変革を共に進めていければと考えています。

吉崎　敏文
NEC執行役Corporate EVP兼CDO
1985年日本アイ・ビー・エム株式会社入社。IBM Corporation, Asia Pacific, CIO、Watson事業部長を経て2019年NECに参画。成長領域の製品、および事業変革を担当。2021年よりユニット長兼執行役員常務として、戦略コンサルティング、DXオファリングなど新組織を拡大し、DXをリード。2023年4月より現職。

第2章

デジタルエシックスに至る倫理の歴史

エシックス（倫理）とは何か

エシックスという言葉の示すもの

何気なく使っていても、その意味を説明してくださいと言われると難しい言葉は少なくありません。エシックス（倫理）という言葉もその一つではないでしょうか。

最近、コーヒーショップやアパレルショップなどで商品に「エシカル（倫理的）」という言葉が使われているのを目にすることがよくあります。これは、販売している製品が、フェアトレードや地球環境への影響を考慮した製造方法が採用されているなど、倫理的な配慮の下に作られていることを示すものです。近年の消費者意識の高まりもあり、倫理的であることは製品のブランディングにも貢献しています。

しかしながら、なぜ倫理的であることが重要なのでしょうか？　そもそも倫理とは何なのでしょうか？　フェアトレードや地球環境への配慮イコール倫理的なのでしょうか？

エシックス（Ethics）の語源は、ギリシャ語の「ethos（エトス）」で、この言葉は「習慣（ある民族や社会に共通する行動様式）」という意味を持っています［江藤，2022］。定まった定義があるわけではありませんが、エシックスは、社会規範、常識や道徳という言葉ともあまり区別なく使われ

エシックスと法律の関係

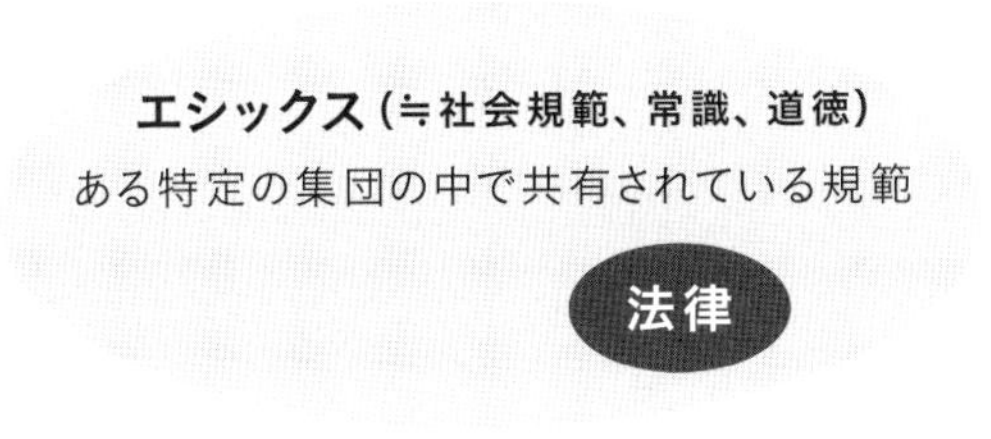

ますので、大まかに言えば、ある特定の集団の中で共有されている規範を指す言葉と考えることができます。またエシックスは、法律と密接な関係を持っています。ドイツの法学者イェリネク（Georg Jallinek）は、「法は倫理の最低限」という有名な言葉を残しています。この言葉は、上図のようにエシックスの中で法律が規定している部分は限定的であることを示しています。

エシックスの特徴

エシックスは、非常に捉えにくいものであるという特徴を持っています。規範は、民族や社会はもちろん、時代や使う言葉などさまざまな要因で形成されるため、非常に多様性があるからです。

また、エシックスには、明文化されず暗黙的に共有されているという側面もあります。ジェネレーションギャップという言葉がありますが、世代によって共有している暗黙の規範（たとえば、ワークライフバランスに代表される働き方についての規範など）が異なるというのはよくある話です。

ほかにも、具体例を挙げてみましょう。皆さんは、未来は自分の前にあると思いますか？　後ろにあると思いますか？　たいていの方は自分の前にあると思われたのではないでしょうか。時間は前から後ろに過ぎ去っていく、あるいは未来は皆さんが前に進むことによってやってくるものであり、過去は足跡として後ろに残っていくというイメージを持っている方が多いことと思います。「キャリアを積む」という言葉のキャリアも“Carrier”、つまりは馬車の轍のことであり、今まで進んできた経路の跡が後ろに残ることを指していたそうです。しかし、おもしろいことに戦国時代くらいまでの日本人にとっては、未来は「未だ来たらず」として、見えないもの、つまり自分たちの後ろにあるものと考えていたそうです。反対に過去は過ぎ去った景色として、目の前に見えるものだったそうです［高野 清水．2016］。おそらくは、技術や知識の向上で、未来に対してある程度の予測や制御が可能になることで、「未来も見えるもの」と認識されるようになり、未来が前にあるという感覚が生まれたのではないかといわれていますが、かつての日本のように未来は自分の後ろにあると思う文化は世界各地に見られたそうです。

また、たとえば青や赤といった色を視覚的には同じように識別できる人の間でも、母語によって色の区切りは異なるといわれています。たとえば、赤から青へとグラデーションで変わるカラーチャートがあったとして、そこに色の区切り（赤、紫、青など）を入れてもらうと、その区切り方は、その人の母語に依存するといわれています。言語によって色の種類数が異なっているからなのですが、この例は、使う言葉によって世界の区切り方が異なる例として、知られています［ドイッチャー，2022］。

これらの例と同様に、エシックスも民族、社会、時代や言語などさまざまな要因から形成されているものであるため、それらが異なっている相手とはエシックスを共有できていない可能性があります。私の当たり前はあなたの当たり前とは限らないのです。加えて、自分が当たり前と思っていることに違った見方があると気付くのは難しいものです。そのため、あなたがエシカルであると考えたことでも、他の人にとってはエシカルではない可能性は否定できず、それを事前に推測することも容易ではないのです。

エシックスの基軸となる３つの考え方

このように、エシックスは非常に捉えにくく、かつ多様性があるものであるために、何がエシカルか？を考えるのは非常に難しい問題です。

しかしながら、多くの知識人たちがこの問題に対して答えを出そうと、熟慮・議論を重ねてきており、現在では、倫理的であるかどうかを判断する軸には、功利主義・義務論・徳倫理学の３種類があるといわれています。それぞれについて、簡単に見ていきましょう（ここでは「何が正しいか」「何が善か」を考える規範倫理学について説明し、「正しいとは何か」など、倫理の規範以外の側面を考える非規範倫理学は除きます）。

功利主義は、ある行動の結果に注目し、その結果が幸福を増やすものであれば、その行動はエシカルであると考えるものです。一般には「最大多数の最大幸福」というキーワードで知られています。ジェレミー・ベンサムやジョン・スチュワート・ミルが提唱しています。この考え方は、非常にシンプルでわかりやすいものであるものの、幸福がどれぐらい増えたかをどうやって計測するのかという点、また全体の幸福量が増えるのであれば一部の人が不幸になってもよいという考え方にもつながる点がよく批判されます。しかし、たとえば政策決定を行う際の費用対効果分析も、ある政策に対して必要な費用と社会にもたらされるメリットを定量的に評価する、功利主義的発想に基づくものであるといえます。

義務論は、行動そのものに注目し、その行動を行う主体が「こうすべきである」という特定の道徳原則に則った行動である場合に、その行動は倫理的であると考えるものです。一般的に、イマヌエル・カントやジョン・ロールズの正義論が、この義務論に当たるとされています。功利主義との明確な違いは、義務論では、その行動によってもたらされる結果は、倫理的かどうかの評価に関係がないという点です。カントは、人間は理性を持つ特別な存在であり、合理的に物事を判断できる道徳的主体であるとしています。それゆえ、その道徳的主体が、「〜すべし」（提言命法）と考える行動は倫理的であるとします。この考え方は、基本的人権という現在の重要な倫理観へとつながっています。

そして、このカントの考え方から派生して、近代には自由平等主義（リベラリズム）や自由至上主義（リバタリアニズム）が生まれ、「〜すべし」とする内容も変化していきます。たとえば経済格差に関しては、リベラリズムは個人の努力以外の要因も関連するとして公権力の介入による格差是正に肯定的な傾向があるのに対して、リバタリアニズムは個人の自由が最優先されるべきであり、経済格差に関しても個人の努力の結果として公権力の介入を忌避する傾向があります。そして近年では、集団によって形成される共通の「〜すべし」という価値観に注目した自由共同主義（コミュニタリアン）への注目も集まっています。「白熱授業」などで日本でも非常に話題になったマイケル・サンデルなどがその論者で、いかなる個人も何かしらの共同体に属する者であり、その共同体で形成される価値観に影響を受けているとします。そのため、その共同体における「〜すべし」という共通善に注目しました［西垣 河島, 2019］。

最後に、徳倫理学は、行動を行う人に注目し、その人が徳がある人であれば、その行動は倫理的であると考えるものです。それでは、徳とはいったい何でしょうか。古代ギリシャの哲学者たちは徳について議論を展開しています。ソクラテスは、あらゆるものにはそのもの固有の性質があり、その一番重要な性質が卓越性を意味する「アレテー」であるとしています。そして、人間の場合には、アレテーは善と悪とを理性的に判断する知であるとしています。ソクラテスの弟子であるプラトンは徳を知恵、勇気、節制とそれらから成る正義であると考えました（四元徳）。さらにプラトンの弟子であるアリストテレスは、徳を知性的徳（知恵、思慮、技術）と倫理的徳（勇気、節制）とに分けて考えました。そして、人間の目的は幸福（エウダイモニア）*になるこ

エシックスに対する3種類の立場

	功利主義	義務論	徳倫理学
ある行動が倫理的であるかどうかの基準	行動の結果が幸福を増やすものだったか	行動を行う主体が「こうすべきである」とする特定の道徳原則に則った行動だったか	行動を行う人に注目し、その人に徳があったかどうか
何に注目するか	行動の結果	行動そのもの	行動を行う人

とであり、そのためにはこれら徳を過度・不足なく実践する必要がある（中庸）としています。このアリストテレスの考え方は、現在の徳倫理学に重要な影響を与えていますが、同じ状況でも社会によって有徳者の行動は違う可能性があることなどから、何を徳とするかについてはさまざまな主張がなされている状況です。

これら3種類の考え方の違いを事例で比較してみましょう。

【問】ある日、川で溺れているAを見つけた通行人Bは、Aを助けたい一心で川に飛び込みました。しかし、運悪くBも一緒に溺れてしまい、AもBも亡くなってしまいました。Bの行動は倫理的であったといえるでしょうか？［金沢工業大学・科学技術応用倫理研究所 編, 2017を改変］

功利主義の立場に立つと、AもBも亡くなっており、幸福が増えたとはいえないため、Bの行動はエシカルではなかったといえます。義務論の立場に立つと、Bは「命の危機に直面している人は助けるべき」という信念に立っており、その信念は一般に広く共有されている道徳原則といえますのでエシカルであったといえます。そして徳倫理学の立場に立つと、BはAを助けたいという徳のある目的に従った行動をしており、エシカルといえる可能性が高いということになります。

このように倫理についてのさまざまな定義を見たうえで、冒頭のコーヒーショップやアパレルショップでの「エシカル」についても振り返ってみましょう。これらのショップで販売されている商品が本当にエシカルであるかどうかは、どのように検証すればよいでしょうか？

たとえば、原材料の調達でフェアトレードを実現しているのでエシカルとしている場合を考えてみましょう。功利主義の立場に立つと、フェアトレードによって生産者の生活水準が向上し、貧困からの脱却や教育機会の提供などにつながっていることが確認できれば倫理的であるといえそうです。また、義務論の立場に立つと、立場を利用した搾取的取引や児童労働・強制労働などが行われていないことを確認することで、倫理的であるといえそうです。最後に、徳倫理学の立場に立つと、フェアトレードが生産に関わる人たちの幸福を目的とするなど、その人た

＊ちなみに、このエウダイモニアという考え方は、現在のウェルビーイングというコンセプトともつながっており、注目されています。エウダイモニア的ウェルビーイングでは、幸福とは快楽で満たされているだけでなく、没頭、人生の意義、人間関係や達成感が充実している状態を指すとされています［カルヴォ ピーターズ，2017］。

ちへの思いやりにあふれた人によるものであれば倫理的であるといえる可能性が高そうです。

実際には、エシカルな商品であることを示すときには、これらの判断軸が複数、あるいは全部採用されることも珍しくありません。また、結果的に生産者の生活水準が向上していたとしても、そこに搾取的取引がある場合はフェアトレードとはいえないなど、どれか一つさえ満たせばよいというものでもありません。これらの各種評価軸は、行動が倫理的かどうかを多面的な角度から検証するための補助線であるといえるでしょう。

デジタルエシックスとは何か？

ここまで、エシックスとは何かを見てきましたが、その内容は規範倫理学と呼ばれるものであり、特に適用する分野を限った話ではありません。倫理学には、規範倫理学をベースに生命、医療、科学技術などの特定分野における倫理を考える応用倫理学があります。デジタルエシックスも応用倫理学の中の一つと考えられます。

まずはデジタルエシックスに触れている文章をいくつか見てみましょう。

1　デジタルエシックスは、デジタル化が進む状況下において、道徳的に正しい行動基準を問うものである：Digital ethics questions the standards of morally correct action under the condition of digitalization. [pwc, 2020]

2　デジタルエシックスは、個人間、社会間、組織間、国家間の規範であり、人々やデジタルユーザーがデジタルの世界でどのように行動し、振る舞うべきかを規定するものである：Digital ethics are inter-personal, social, organizational, national norms that govern how people/digital users should conduct and behave in the digital world. [Deloitte, 2021]

3　デジタルエシックスは、デジタルな人々のエシカルに関する言外の考え方、あるいはデジタル技術とその文化から構成される考え方である：Digital ethics is a way of thinking about the ethical implication of "the digital," or digital technologies and the culture they co-constitute. [Beever, McDaniel, Stanlick, 2019]

これらは、デジタルエシックスについて言及している文章の一部を抜粋したものです。最初の文章や2つ目の文章では、デジタルエシックスとはさまざまなレベルの集団におけるデジタル環境での行動の規範であるとしています。また、最後の文章はデジタルエシックスは明文化されていないものであるということも述べています。

ほかに、デジタルエシックスの性質について述べている文章もあります。

デジタルエシックスに求められる課題は、社会、私たち全員、そして私たちの環境に利益をもたらすデジタルイノベーションの倫理的価値を最大化する解決策に至るために、社会的な拒絶と法による禁止の間をナビゲートすることである。そのため、デジタルエシックスは、過去30年間、情報通信技術がもたらす課題に焦点を当ててきたコンピュータ倫理と情報倫理が提供する基盤の上に構築されている：The demanding task of digital ethics is navigating between social rejection and legal prohibition in order to reach solutions that maximize the ethical value of digital innovation to benefit our societies, all of us, and our environments. To achieve this, digital ethics builds on the foundation provided by Computer and Information Ethics, which has focused, for the past 30 years, on the challenges posed by information and communication technologies. [Floridi, Cath, Tadde, 2019]

この文章では、デジタルエシックスは、デジタルテクノロジーが、社会的に受け入れられないことや法的に禁止される状態に陥ることなく、私たちにエシカルな状態で利益をもたらすための案内役になるとしています。またデジタルエシックスは、デジタルテクノロジーの発展・成長とともにあり、コンピュータ倫理や情報倫理を基本に成り立っていることを説明しています。

ＡＩ倫理の研究で知られるドイツの哲学者、Vincent C. Müllerもデジタルエシックスをいくつかの時代に分け、デジタルエシックスは段階的に形成されていったことを説明しています［Müller, 2022］。そこで、このMüllerの整理をベースとしながら、少し時代の区切りを変えて、コンピュータ倫理や情報倫理の大本となる科学技術倫理の歴史も振り返りつつ、デジタルエシックスの歴史と内容の変遷を見てみましょう。

デジタルエシックスに至る科学技術倫理

19世紀以前 ―科学技術と科学技術倫理の誕生―

19世紀以前は科学技術者集団が社会的に形成されていなかったため、デジタルテクノロジーはもとより科学技術に対するエシックスは形成されていなかったと考えられます。* 19世紀ごろに科学技術を専門に職業とする人たちが生まれ、その専門家としてのエシックスが生まれてきます。また、科学技術は人々の働き方も大きく変化させたため、ワークライフバランスなど、現

*紀元前4世紀ごろ、「ヒポクラテスの誓い」という医療に関するエシカルな宣誓文が生まれていますが、医療倫理についての出来事であるため省略します。

在でも受け継がれている倫理観も登場します。

そもそも、19世紀以前には「科学者」と呼ばれる人々は存在しておらず、科学と技術も別のものでした。科学は自然界の法則・真理の追究がその目的であったのに対して、技術は人間の活動を支援・拡大するための方法でした。科学は、古代ギリシャでプラトンが「アカデメイア」と呼ばれる学問所（のちのアカデミア）を立ち上げ、算術、幾何学、天文学、音楽理論などいわゆるリベラルアーツを自由市民向けに教えていたことにまでさかのぼれます。また当時、てこや車輪などいわゆる機械技術を用いた生産活動は、奴隷階級がなすべき労働と考えられ、リベラルアーツとは明確な区別がなされていました［野家, 2015］。

19世紀に入ると、科学と技術の関係は密接になっていきます。たとえば、1824年にフランスの物理学者であるニコラ・レオナール・サディ・カルノーが、理想的な熱サイクルであるカルノーサイクルを考案しています。これは18世紀に起きた産業革命の後、いかに蒸気機関の効率を高めるかという課題から考案されたものでした。科学が技術の発展に役立ち、ひいては生産性の向上につながるという認識が社会に広がると、「科学者」と呼ばれる人々が現れてきます。それまで科学は、経済基盤を別に持つ貴族や聖職者、さらにその支援を受けた人々によって行われていました。しかし、この時代になると理工系の高等教育機関がヨーロッパ各地に作られ、産業界も科学者の受け入れを活発化させます。科学者がアマチュアからプロフェッショナルへと変わっていったのです。

科学者・技術者の数が増えてくると、専門家集団としての意識が芽生え始め、学会組織が形成されていきます。世界で最初の学会はイギリスで１６６０年に発足したロンドン王立協会ですが、当時はまだ社会的専門家としての科学者の地位は確立していませんでした。19世紀にはこの学会では、研究上の情報交換だけでなく、学会の開催や学会誌の刊行が積極的に進められました。その過程の中で、研究成果は全て公開するという原則や、学会誌に投稿された論文は査読を受けて評価されることなど、科学者・技術者の規範、いわば専門家としてのエシックスが確立していきます。この時代に科学技術は、人材の育成や産業界への受け入れに加え、専門家集団としての学会組織も形成されて、社会制度化され社会システムの中に組み込まれていくことになるのです。

このように、科学技術倫理は、そもそも科学者・技術者が専門家集団となり始めたとき、科学者・技術者の取るべき行動・あるべき姿（＝徳）について、認識され始めたことに端緒が見られます。

一方で、この時代までに起きた科学技術に起因するさまざまな出来事は、人々の働き方を大きく変え、倫理観にも多様な影響を与えました。たとえば18世紀イギリスで起きた産業革命は、現代にも通じる働き方に関するさまざまなエシックスを生み出しています。産業革命が生産現場の工場化、鉄道網の充実を促した結果、人々は工場へと通勤をするようになりました。それまで農村部で暮らしていた人々も工場周辺へと移り住むようになり、都市化が進みました。また、通勤することが「ON」と「OFF」の概念も生み出します。さらに、工場での綿糸の紡績・織機作業は、労働者のスキルに依存しない生産物の均質化を生み出します。その結果、資本家は、労働生産性を上げるために、労働時間管理や長時間労働を労働者へ強いるようになりました。当時、労働者の平均的な労働時間は1日に10時間から16時間程度で、休日も週に1日だったそうです。それに対して、1日8時間労働の導入を求める運動や、児童労働や低賃金などの労働問題への抗議のパフォーマンスとして工場の機械を破壊するラッダイト運動が起きます[フレイ, 2020]。また18世紀のイギリスでは、活版印刷によって本の大量生産が可能になり、識字率の向上にも寄与したことで、著作権についての法律が制定されています。

19世紀には、フランスのルイ・ダゲールが発明したダゲレオタイプカメラが広まります。それまで、写実主義で現実をそのまま写し取ったようなスタイルの絵画を描いていた芸術家たちは、写真には不可能で人間の画家にしかできない表現を求めて、感情、光、色を自由に探求する印象派のスタイルを編み出します。絵の具を持ち運べるチューブの発明により、描くモチーフも、宗教画や肖像画から、街や自然の風景や日常の一コマなどへと広がっていきました。このように芸術家の作品も科学技術が変えていったと見ることができます。ちなみに、19世紀後半に写真機が可搬式になることで、個人の生活を写真で広く伝えることがより容易になりました[WILLIAMS, 2021]。そのため、1890年には、アメリカの弁護士が「一人でいさせてもらう権利」としてプライバシーの権利を主張し[小町谷, 2004]、人々の間にプライバシーという倫理観が生まれることになりました。

◎20世紀〜21世紀初頭　―科学技術の社会的影響から、科学技術のアセスメント・ガバナンスの時代へ―

20世紀〜21世紀初頭は、第1次大戦から第2次大戦を経て、ＥＮＩＡＣの発明（1945年）からパーソナルコンピュータの登場（1980年頃）直前の期間を含む時代です。特に1945年頃以降はデジタルテクノロジーが勃興し、デジタルエシックスが始まった時代ともいえます。

この時代は科学技術倫理全般に対してさまざまな規制が導入され、科学技術のアセスメントやガバナンスに注目が集まりました。そして、デジタルエシックスもその例外ではありません。

科学技術へのさまざまな規制に関しては、2度の世界大戦で非人道的な科学技術研究への規制が導入され、科学技術がもたらす多様な影響を考慮するべきだという機運が高まります。

1914年に勃発した第1次世界大戦では、毒ガスをはじめ戦車、潜水艦、機関銃等が兵器として大規模に使用されました。毒ガスの開発には、ハーバー=ボッシュ法（近代化学工業の基礎の一つであるアンモニアの合成法）の開発で有名なフリッツ・ハーバーをはじめ、多くの科学者が参加しています。1925年には、毒ガスの非人道性から、毒ガスを含む化学兵器や生物兵器の使用を禁止するジュネーブ議定書が定められました。第2次世界大戦では、ナチス・ドイツが行った人体実験への批判から、人間を対象とした研究に対する一連の倫理原則を決めたニュルンベルク綱領が1947年に定められています。このように、科学技術がもたらす負の側面に注目し、その目的や内容に問題のある研究は規制すべきという流れができていきます。

その後、科学技術の影響を考慮すべき対象は、自然環境全体へ広がっていきます。レイチェル・カーソンは1962年に『沈黙の春』を著し、有機塩素系農薬が自然環境に与える影響を指摘しました。DDTに代表される有機塩素系農薬が食糧増産というメリットをもたらす一方で、生物濃縮されることや生態系に悪影響を与えることを指摘したのです。1972年にはローマ・クラブが「成長の限界」レポートを提示し、100年以内に地球資源が枯渇すると指摘しています。これらは、科学技術がもたらした大量生産・大量消費に対する反省であり、科学技術倫理は、現在のサステナビリティという概念につながる、地球全体のためのものへとさらに拡張されたといえます。

この頃からテクノロジーアセスメント（技術の社会影響評価）という概念が出てきます。テクノロジーアセスメントは、たとえば城山英明氏の著書『科学技術と政治』によると、「独立した立場で科学技術の発展が社会に与える影響を広く洗い出して分析し、それを市民や政治家、行政あるいは研究開発者に伝え、相互の議論や意思決定・政策決定を支援する活動」であると定義されています。科学技術に対して、その影響を評価し、その利用の可否や起き得る影響への対応を検討することを人々が求めるようになっていったのです。それは、人々の科学技術に対する「安全」の考え方が変わってきたからだという指摘もあります。たとえば岸本充生氏は著書

『安全とは作法である―エビデンスを尋ねることから始まる新しい社会』にて、１９８０年代以降の遺伝子組み換え作物への反発などを例に、20世紀末は科学技術が社会にもたらす影響という「わからなさ」について、従来はわからないものは「安全」としていた科学技術観から、わからないものは「危険」であると見なすように、安全に対する考え方が１８０度転換した時代であるというのです。

そのような「わからなさ」への取り組みは、ＲＲＩ（Responsible Research and Innovation: 責任あるイノベーション）という考え方も広げました。ＲＲＩの基本的なアイデアや議論を大まかにまとめれば、幅広いアクターの問題意識や価値観を包摂し、相互に応答しながら、プロセス自体も省察を伴い、得られた課題や反省のフィードバックを踏まえてイノベーションを進めることを志向することとされています。ＲＲＩの起点となった出来事に、イギリスを中心に始まったサイエンスコミュニケーションの動きがあります。標葉隆馬氏の『責任ある科学技術ガバナンス概論』によると、１９８５年に公開された英国王立協会の報告書「科学技術の公衆理解（Public Understanding of Science）」は、科学技術の公衆理解の重要性を強調しています。サイエンスコミュニケーションは、当初は一般の人々への一方的な情報提供という性格が強かったのですが、２０００年ごろには双方向の対話の姿勢を重視するようになります。２００２年から２００３年にわたってイギリスで行われた、遺伝子組み換えに関する大規模市民対話の取り組み（ＧＭネイション）では、市民参加型のワークショップなどを通して、人々の関心のフレームが見いだされていきました。

GMネイションで提示された主要な関心とフレーミングの例

人々が持つ多様な不安	食品や環境への安全性といった科学的・技術的な側面に限らず、社会的・政治的課題まで含めた懸念に目を向ける必要がある
リスクーベネフィットの理解	ベネフィットを知ると同時に、リスクへの関心もまた高まる（特に長期的な観測が必要なリスクについての関心の高まり）
安易な商業化に対する反発	より多くのテスト、しっかりとした規制の枠組み、（生産者だけでなく）広く社会へのベネフィットの提示が要求されている
政府・多国籍企業への不信感	（多くの対話参加者は総論としてのGM作物の利点は認めている）アリバイ作りへの疑義（検討結果が結局は無視されてしまうのではないか）、経済的利益優先への危惧
さらなる情報提供と試験研究	信頼できる情報源からのより多くの情報提供と、さらなる試験研究の必要性を認めている
発展途上国の事情に対する特別な関心	食料増産などの貢献の理解、公平な貿易、より良い食料分配システムの構築、収入や当該国の地位向上といった開発全体の推進が重要であるという認識の提示
議論に対する歓迎と価値	対話・議論への参加は歓迎されている。また自身の意見表明のみならず、専門家も含めた他者の意見を聞き議論出来る機会が尊重されている

出所：『責任ある科学技術ガバナンス概論』標葉隆馬

ここで見出されたフレーム（右の表）を見てみると、透明性や説明責任など、後にデジタルエシックスの例として紹介するＯＥＣＤのＡＩ原則で定められた内容との相似点を見いだすことができます［岸本, 2016］。

このような人々のテクノロジーアセスメントの必要性の認識は、科学技術をいかにコントロールするかという科学技術ガバナンスの必要性の認識へと発展していきます。また、科学技術ガバナンスの必要性の認識は、この20世紀～21世紀初頭の時代、別の角度からも起きていました。第2次世界大戦中に原子爆弾の開発を進めたマンハッタン計画は、物理学者のロバート・オッペンハイマーを責任者にアメリカの国家プロジェクトとして進められました。そこから始まる米ソの核開発競争は、マーキュリー計画やアポロ計画のような宇宙開発競争とあわせて進められ、多数の科学技術者が参加していきます。科学技術が国の競争力に重要な要素であると認識されるようになっていったのです。

科学技術開発が国家プロジェクトとして大量の資金を投入して進められるようになることで、それまでは専門家のコミュニティによる自律的規律に頼ってきた研究活動に対して、法による規律が生まれるようになります。そのきっかけは、１９７０年代にアメリカで起きた研究データの改ざんや業績の盗用などの研究不正です。科学に対する公的な投資に対して、科学者にはその使い方の説明責任が求められるようになります。そのため、１９８５年にアメリカで、研究不正への対応を定めた健康科学研究推進法（Health Research Extension Act）が制定されるに至っています。

このような流れからも、科学技術は適切に管理されるべきだとする、「科学技術ガバナンス」の必要性への認識が人々の間で広がり始めます。

それでは「適切」な管理とは何か。私たち人間と科学技術の関係性自体はどうあるべきなのかを問い直す動きもあったことは、デジタルエシックスを考える上で付け加えなければなりません。たとえば、核物理学者のアルヴィン・ワインバーグは、1972年に「Science and Trans-Science（科学とトランスサイエンス）」という論文で、トランスサイエンスという概念を提唱しています。これは、「科学に問うことはできるが、科学では答えることができない問題」とされています。科学技術が、政治や経済とも密接に結び付くことで地球全体に及ぼす影響については、その責任を科学技術に問うことはできても、その対応を科学技術の発展のみに求めることはできないということです。また、思想家のイヴァン・イリイチは1973年に『Tools for Conviviality（コンヴィヴィアリティのための道具）』という書籍で、コンヴィヴィアリティ（自立共生）という概念を提唱します。彼は、コンヴィヴィアリティを、産業主義的な生産とは反対の状況を指す言葉として説明します。イリイチは、生産活動が至上の目的となり、その手段としての科学技術が人々を生産者や消費者という特定カテゴリーに押しとどめている状況を批判します。そして、その状況を脱するために、人々は科学技術に隷属するのでもなく、かつ隷属させられるのでもない、ほどよい距離感と緊張状態を保つべきであるとし、そのような状況をコンヴィヴィアリティと呼んだのです［イリイチ，2015］。

20世紀後半から始まるデジタルエシックス

デジタルエシックスに関して言えば、ＥＮＩＡＣに代表される初期のコンピュータは巨大かつ非常に高価であり、一部の科学技術者のみが扱うものでした。そのためデジタルエシックスもまた、19世紀の科学技術者規範のような一部の専門家のためのものでした。しかし、１９70年代以降、一般企業の従業員のような科学技術者ではない人々もコンピュータを扱うようになり、その影響が徐々に社会全体に及ぶようになります。それに伴い、デジタルエシックスについても、ガバナンスの必要性や一般の人々のリテラシーが議論されるようになります。

実はデジタルテクノロジーの社会的影響力の大きさは、早くも１９６０年代から指摘されています。たとえば、１９６２年にノーバート・ウィナーは著書『人間機械論』で、計算機が政治的あるいは軍事的な統治機械として働く可能性を指摘しています。ゲーム理論の応用で、選挙や軍事を有利に進めるための予測が働くようになり、そうした計算機を一部の人間がほかの人間を管理するのに用いる危険性を指摘しています。奇しくも、この年は『沈黙の春』が刊行された年でもあり、デジタルテクノロジーの社会的影響も注目されるようになったといえます。

この時代は、コンピュータや通信技術の発展によって、情報化社会の基盤が築かれていった時代でもあります。１９６０年代、インターネットの前身であるＡＲＰＡＮＥＴが誕生し、コンピュータ間で通信ネットワークを通じた情報共有が可能になりました。また、コンピュータをはじめとしたデジタル化されたコミュニケーションツールが研究者や技術者たちに広く利用されるようになりました。

しかし、新たな技術が広まると、それに呼応してデジタルエシックスに関する問題も次々と現れました。たとえば、1960年代には、他人のIDを利用した不正アクセスや情報の盗み見（ハッキング）といった犯罪手口が出現し、個人や企業、政府が保持するデータへのセキュリティを脅かす問題となりました。日本では1971年に日経マグロウヒルの磁気テープに記録された雑誌「日経ビジネス」の顧客ファイルがコピーされ、競争相手に売却された事件がありました。これは日本初のコンピュータ犯罪とされていますが、摘発の容疑は勤務先企業に所有権がある磁気テープ1巻、時価6000円を窃盗した疑いというものでした［社団法人私立大学情報教育協会, 1995］。現在では非常に重要視される顧客情報に価値がつけられていなかった時代背景をうかがい知ることができます。また、同年からプログラムに対して著作物や特許のように法的保護の対象とする検討が始まっています［木村, 2007］。

1980年に、OECDは各国が満たすべき個人情報保護のレベルを一定にするためのガイドラインとして「プライバシー保護と個人データの流通についてのガイドラインに関する理事会勧告」を採択します。そこではOECD8原則として、左ページの表に挙げた「収集制限の原則」「データ内容の原則」「目的明確化の原則」「利用制限の原則」「安全確保の原則」「公開の

OECD8原則

①収集制限の原則	個人データの収集には制限を設けるべきであり、いかなる個人データも、適法かつ公正な手段によって、かつ適当な場合には、データ主体に知らしめ又は同意を得た上で、収集されるべきである
②データ内容の原則	個人データは、その利用目的に沿ったものであるべきであり、かつ利用目的に必要な範囲内で正確、安全であり最新なものに保たれなければならない
③目的明確化の原則	個人データの収集目的は、収集時よりも遅くない時点において明確化されなければならず、その後のデータの利用は、当該収集目的の達成又は当該収集目的に矛盾しないでかつ、目的の変更毎に明確化された他の目的の達成に限定されるべきである
④利用制限の原則	個人データは、例外を除いて、第3原則（目的明確化の原則）により明確化された目的以外の目的のために開示・利用その他の使用に供されるべきではない
⑤安全保護の原則	個人データは、その紛失又は不正なアクセス・破壊・使用・修正・開示などの危険に対し、合理的な安全保護措置により保護されなければならない
⑥公開の原則	個人データに係る開発、運用および政策については、一般的な公開の政策が取られなければならない。個人データの存在、性質およびその主要な利用目的とともにデータ管理者の識別、通常の住所をはっきりさせるための手段が容易に利用できなければならない
⑦個人参加の原則	個人は次の権利を有する。 (a) データ管理者が自己に関するデータを有しているか否かについて、データ管理者又はその他の者から確認を得ること (b) 自己に関するデータを知らされること (c) 上記(a)および(b)の要求が拒否された場合には、その理由が与えられることおよびそのような拒否に対して異議を申立てることができること (d) 自己に関するデータに対して異議を申立てること、およびその異議が認められた場合には、そのデータを消去、修正、完全化、補正させること
⑧責任の原則	データ管理者は、上記の諸原則を実施するための措置に従う責任を有する

[越野,2002]から筆者が一部抽出

原則」「個人参加の原則」「責任の原則」が示されています。これら項目は、現在の私たちが見ても非常に納得感が高く、現在のデジタルエシックスの基礎が出来上がっていたことがわかります。

一般の人々へのデジタルエシックスの普及に関しては、日本では1980年代後半から、インターネットや電子メールなどを利用する上でのマナーを「ネチケット」（ネットワーク＋エチケットの造語）と呼び、注意が払われるようになりました。1986年ごろから「情報リテラシー」という言葉も使われ始め［河西, 2017］、1996年には「電子ネットワーク運営における倫理綱領」が通商産業省および電子ネットワーク協議会から提示されています。そこでは、言論の自由や人権の尊重に始まり、著作権等の知的所有権やプライバシーへの配慮などを基本理念としたうえで、ネットワーク運営者による利用者への義務・禁止事項の徹底や対応窓口の設置などを運営基準として定めています。

20世紀終盤以降　―デジタルエシックスの多様化と利用する側の責任―

20世紀終盤から今に至る期間は、パーソナルコンピュータ（PC）の普及に始まり、インターネット、携帯電話の発展などを経て、人々の手にデジタルテクノロジーが広く行き渡るようになった時代です。そして、Web2・0やAIなどさまざまな新しいデジタルテクノロジーが瞬く間に世に広がり、そのテクノロジーを追いかけるように新たなデジタルエシックスを議論するサイクルが繰り返されています。

１９９5年にマイクロソフトからＰＣ用のＯＳであるWindows95が発売され、ＰＣおよびインターネットが急速に普及を始めます。１９９7年には検索エンジンのGoogleがサービスを開始しています。その後、簡単に自分の文章や写真を公開できるブログブームを経て、２０００年代には、ＳＮＳ（ソーシャルネットワーキングサービス）が数々登場します。ＳＮＳの登場によって、誰もが気軽に自分や身の回りの情報をテキスト・写真・動画で発信・共有し、交流するようになりました。

このようなＳＮＳでの交流は、２００7年にAppleからiPhoneが発売され、より加速します。それまで、ＰＣでの利用が基本だったＳＮＳをスマートフォン上でより気軽に利用できるようになり、人々は至るところで写真・動画を撮影し、そのデータをインターネットで公開するようになりました。

人々がインターネット上に膨大な量の個人データを公開することで、世界的ＩＴ企業は、これらの個人データや検索・閲覧履歴を分析し、各ユーザーそれぞれに効果的な広告を出す行動ターゲティング広告で膨大な利益を生み出すようになりました。イギリスの数学者兼データサイエンティストのクライブ・ハンビーは２００6年に〝Data is the new oil（データは新しい石油である）〟という有名な言葉を残しています。

ビッグデータ時代におけるエシックス

しかしながら、このようなデジタルツールをみんなが使うことで、デジタルエシックスに関する新たな問題が起きるという指摘もありました。

イーライ・パリサーは2011年発行の著書『The Filter Bubble（閉じこもるインターネット）』で、ユーザーの所在地や検索・閲覧履歴などからユーザーが欲しい結果が返ってくるように検索エンジンが出力結果を調整しているため、ユーザーは文化的・思想的に同質なものが集まった泡の中でインターネットを見ている気になってしまっているとし、その状況をフィルターバブルと呼んで批判しました。同じ興味や関心を持つ人とつながりやすいSNSにおいても同様な現象が起こっているでしょう。また、そのようなフィルターバブルの中では、自分が受け入れやすい情報のみが表示される「エコーチェンバー（自分の声のエコーが返ってくる残響室）」状態になり、自らの考えにより固執していく傾向になるといわれています。

これらのデジタルツールの利用は、各国の民主化活動にも大きく影響を与えたといわれています。2010年から2012年にかけて、チュニジアやエジプトなどアラブ世界で「アラブの春」と呼ばれる民主化運動が起こりました。抑圧的な政権体制に対するストライキやデモを行う際、人々がその様子を携帯電話で撮影してFacebook、Twitter やYouTube等で次々と公開し、デモへのさらなる参加を促す活動が広がりました。この活動では、アラブ世界だけでなく、世界各地の同郷人がハブとなり情報を広げていきました。その結果、チュニジアでは当時のベン・

アリ大統領が国外へ亡命し、政権が崩壊しました。エジプトでも、当時のムバラク政権がエジプト軍最高評議会に国家権力を譲渡するなど、政権の移行が行われました。

このように、デジタルツールは数多くの人々を扇動する、言い換えれば操作することも可能な、非常に大きな力を持つツールになっていきます。

そして、そのツールとしての力がスキャンダルになった有名な事件が、２０１８年に判明したケンブリッジ・アナリティカ事件です。２０１６年のアメリカ大統領選挙で、有権者のプロファイリングおよびマーケティングを行っていたデータ分析・コンサルティング会社であるケンブリッジ・アナリティカが、有権者を意図的に操作したとされています。ケンブリッジ・アナリティカはFacebookで有権者のデータを収集・分析し、浮動票層をターゲットにメッセージや広告を送ることで、有権者の投票に影響を与えたとされています。

この選挙では、ＳＮＳ上のフェイクニュースにも注目が集まりました。「ローマ法王がトランプの支持を表明した」「クリントン陣営の関係者が人身売買に関わっている」といった誤った情報がＳＮＳで拡散し、社会に混乱をもたらしました。

このようにＩＴ企業による個人データの収集と、それに伴う混乱に対応するために、ヨーロッパ（ＥＵ加盟国およびアイスランド、ノルウェー、リヒテンシュタイン）では２０１８年からＥＵ一般データ保護規則（ＧＤＰＲ：General Data Protection Regulation）が施行されます。この規則は、「個人のデータ保護は基本的人権であり、個人データは企業のものではなく、個人のものである」と明記し、域外へのデータの持ち出しを原則禁止したり、プライバシーの保護を行ったりするよう求めています。

さらに、元来インターネットは各個人の自律的な活動を志向していたにもかかわらず、結果的に巨大ＩＴ企業による中央集権的な構造になってしまっていることへの批判も起きています。２０１６年にインターネットセキュリティの専門家クリストファー・アレンはブログへの投稿「The Path to Self-Sovereign Identity」［Allen, 2016］で、人々が国や事業者に依存せず、インターネットを介したサービスに必要なデジタルアイデンティティ情報を自ら発行・管理する構想を提唱しています。これはＳＳＩ（Self-Sovereign Identity：自己主権型アイデンティティ）と呼ばれ、ブロックチェーンを基本としたＷｅｂ３と呼ばれるインターネットサービスを実現するための重要な概念となっており、アカデミアや企業がその実装に向けた研究を進めています。

AI時代におけるデジタルエシックス

デジタルエシックスを巡る議論に現在、大きな影響を与えているのがＡＩ（人工知能）の急速な進歩と普及です。ＡＩは１９５０年ごろからブームが来ては熱狂が冷めるサイクルを繰り返していましたが、２０１０年ごろから第３次ブームに入り、２０１２年にディープラーニングによるＡＩが画像認識競技で圧勝したことをきっかけに、ＡＩに対する人々の期待が大きく膨らんでいきました。現在は、生成ＡＩ（Generative AI）と呼ばれる文章や画像、音楽などを生成できるＡＩの登場により、第４次ブームに入っていると指摘されています。

第３次ブーム以降、ＡＩは行政や企業の無数のサービスに使われるようになり、デジタルエシックス上、さまざまな懸念が指摘されるようになりました。いくつか例を挙げてみましょう。

トロッコ問題という有名な古典的問題があります。「線路を走っていたトロッコが制御不能になった。このままでは線路前方で作業中の５人が犠牲になってしまう。あなたは線路の分岐器の前に立っており、トロッコの進路を切り替えれば５人の命は助けることができる。しかし、別の分岐先にはやはり１人の作業員がいて、進路を切り替えれば、その１人を犠牲にしてしまう。あなたは分岐器のスイッチを入れるべきか？」というような問題です。哲学者のマイケル・サンデルが取り上げて、日本でも非常に有名になりました［サンデル, 2011］。これは一見、ＡＩとは関係なさそうに見えます。しかし、自動運転車の可能性がかなり現実的になっている現在、制御不能になった自動運転車が、誰かを助けるためには別の誰かを犠牲にしなければならない状況になったとき、どのように挙動するようデザインすべきか？という問いとも取れます。ある研究では、犠牲になる人の条件を若者／高齢者、男性／女性、病人／健康な人などとさまざまに変えてみたところ、判断の優先事項は国ごとに大幅に異なり、文化や経済状態とも大きく関連しているという結果が出たと指摘しています［Hao, 2018］。

そして、トロッコ問題は、人が介在することなく、全ての操作をＡＩに任せてよいのか？という問いも私たちに投げかけます。この問いは、医療や教育など別の分野ではすでに議論が進められています。

近年のＡＩには非常に広い適用範囲があるため、人間の行っている仕事の多くがＡＩに置き換えられるといわれています。少子高齢化が進む日本では、不足する労働人口をＡＩが補うことが期待されていますが、たとえば、医療・介護、教育やコンサルティングなどの領域では、ＡＩで完全に人間を置き換えることはできないといわれています。何かトラブルが起きたときの責任の所在を人間に残しておく必要性や、人間が介在している方がサービスを受ける側が安心感を得られやすいためです。しかし、これらの領域でＡＩが全く利用されないわけではなく、人間がＡＩを活用しながら業務を行うようになると予想されています。医療分野では画像診断やカルテの分析などがすでに実現していますし、教育分野でもカリキュラムの自動作成（アダプティブラーニング）や自動採点ＡＩの導入などが始まっています。これら「人間×ＡＩ」による業務の変革では、ＡＩ技術が発展していくにつれて、ＡＩの担う領域がより広がるでしょう。ただし、そうなったときに「必ず人間が担う部分」と「ＡＩに任せる部分」との線引きは、いまだ明確にできていません。そのため、人が行うべき部分はどこか、今後どこまでをＡＩに任せてもよいかについては、今も盛んに議論が行われています。

それ以外にも、検討すべき問題があります。ＡＩは、個人個人に合わせたテーラーメードのサービス提供を非常に低コストで実現してくれます。ある意味、個人個人に差をつけたサービスを提供してくれるわけですが、それが不公平感を生み出すことや、不平等であることが問題になる場合があります。

これは一般にＡＩのバイアス（偏り）問題と呼ばれるものです。機械学習ベースのＡＩでは、過去のデータを分析して学習モデルを作成します。そのため、過去のデータにバイアスがある場合には、そのバイアスが学習モデルにも反映されてしまい、問題となる場合があるのです。たとえば、学習データがごく一部の地域の人に関するデータであれば、作られた学習モデルは、その地域の人の嗜好を反映したものになってしまいます。そのため、この学習モデルを多様な国・地域の人への予測やレコメンデーションに使ってしまうと、他の地域の人には合わない可能性が高いといえます。また、昨今の新型コロナ禍の前後のように、私たちの生活様式が大きく変化したにもかかわらず、変化前のデータで予測やレコメンデーションをしてしまうケースもバイアスが生じる可能性が高いといえます。ＡＩは公共サービスを含むさまざまな場面で使われているため、いったんバイアスのあるＡＩが普及すると、そのバイアスが社会において固定化・強化されてしまう危険性が指摘されています。ところが、私たちは自身の持つバイアスには無自覚な場合がしばしばあるため、ＡＩが製品・サービスとして市場に展開された後になって、第三者による検証でバイアスを指摘され、ようやく問題に気付くことも考えられます。

このように、ＡＩ時代のデジタルエシックスについては、さまざまな観点から議論が行われています。さらに、近年、大きな注目を集めている生成ＡＩによって、状況がより複雑になってきています。生成ＡＩとは、プロンプトと呼ばれる簡単な指示を与えると、その指示を基に文章やプログラム、画像や音楽、動画までを自動的に作成するＡＩのことを指します。生成されるコンテンツがあまりにも精巧であるため、生成ＡＩが大量のフェイクニュースを作り出して人々がそれを鵜呑みにしてしまう可能性や、学習に使われたデータやＡＩが生み出したコンテンツの著作権の扱いなど、議論が非常に多岐にわたっています。

ＡＩ時代におけるガバナンス

このような状況の中、ＡＩに関してのガバナンスについて、政府や企業レベルでの議論が進められています。たとえばＯＥＣＤは２０１９年の年次閣僚理事会で、当時のＯＥＣＤ加盟国とパートナー国の計42カ国が「ＡＩ原則」を採択しています。そこには、次に挙げる5項目のＡＩ原則と各国政府への提言が含まれています。

【ＡＩ原則】

1　ＡＩは、包摂的成長と持続可能な発展、暮らし良さを促進することで、人々と地球環境に利益をもたらすものでなければならない。

2　ＡＩシステムは、法の支配、人権、民主主義の価値、多様性を尊重するように設計され、また公平公正な社会を確保するために適切な対策が取れる―例えば必要に応じて人的介入ができる―ようにすべきである。

3 AIシステムについて、人々がどのようなときにそれと関わり結果の正当性を批判できるのかを理解できるようにするために、透明性を確保し責任ある情報開示を行うべきである。

4 AIシステムはその存続期間中は健全で安全した安全な方法で機能させるべきで、起こりうるリスクを常に評価、管理すべきである。

5 AIシステムの開発、普及、運用に携わる組織及び個人は、上記の原則に則ってその正常化に責任を負うべきである。

【各国政府への提言】

1 信頼できるAIのイノベーションを刺激するために、研究開発への官民投資を促進する。

2 デジタルインフラとテクノロジーでAIエコシステムとデータと知識の共有メカニズムの利便性を高める。

3 信頼できるAIシステムの普及に道を開く政策環境を創出する。

4 人々にAIに関わる技能を身につけさせるとともに、労働者が偏りなく転職できるよう支援する。

5 情報を共有し標準を開発し、責任あるAIの報告監督義務を果たせるように、国際的、産業部門横断的に協力する。信頼できるAIシステムの普及促進と政策環境を創出する。

（出所：「ＡＩ原則」の概要、独立行政法人 労働政策研究・研修機構、２０２３）

日本でも、内閣府が「人間中心のＡＩ社会原則」を２０１９年にまとめており、ＡＩ社会原則として、①人間中心の原則、②教育・リテラシーの原則、③プライバシー確保の原則、④セキュリティ確保の原則、⑤公正競争確保の原則、⑥公平性、説明責任及び透明性の原則、⑦イノベーションの原則の7項目を提示しています［統合イノベーション戦略推進会議決定, 2019］。

このような活動はその他の国際組織や企業レベルでも多数行われているため、それらをメタ分析した研究もあります。たとえば、ハーバード大学のサイバースペース専門のリサーチセンターであるBerkman Klein Center for Internet & Society は、〝Principles Artificial Intelligence Project（ＡＩ原則プロジェクト）〟として、多くのＡＩ原則とガイドラインのマッピングとビジュアライゼーションを行っています［Fjeld, Achten, Hilligoss, Nagy, Srikumar, 2020］。そこでは、政府、政府間組織、マルチステークホルダー、プライベートセクター、市民社会のいずれかに属する組織が発表した原則を分析し、その原則が次の９つの項目に整理できることを示しています。

①国際人権（International Human Rights）
②人間の価値の促進（Promotion of Human Values）
③専門家の責任（Professional Responsibility）

④人間によるテクノロジーの制御（Human Control of Technology）
⑤公平性と無差別（Fairness and Non-discrimination）
⑥透明性と説明性（Transparency and Explainability）
⑦安全・安心（Safety and Security）
⑧説明責任（Accountability）
⑨プライバシー（Privacy）

次ページの図は、同心円状・外側から順に前記９項目、放射状に各原則やガイドラインが配置され、点の大きさは、各原則やガイドラインが、それぞれの項目に含まれる原則をどれくらい含んでいるかを表しています。

このメタ分析は、各ＡＩ原則の内容が９項目で整理・比較できることを示しており、言い方を変えれば、ＡＩ原則の内容は、おおよそこの９項目に収束してきているといえます。そのため、現在はいかにその原則を実行に移すかというガバナンスの議論にフェーズが移ってきています［江間，2019］。

ヨーロッパでは、２０２１年に世界に先駆けてＡＩに対する包括的な規制法案である「ＡＩ規則（AI act）」を欧州委員会が提出し、規制項目を追加して２０２３年６月に欧州議会で採択されています。そこでは、ＡＩのリスクに応じたガバナンスを適用するリスクベースアプローチが取られており、いくつかの例外を除いて、潜在意識への操作や公的機関がソーシャルスコア

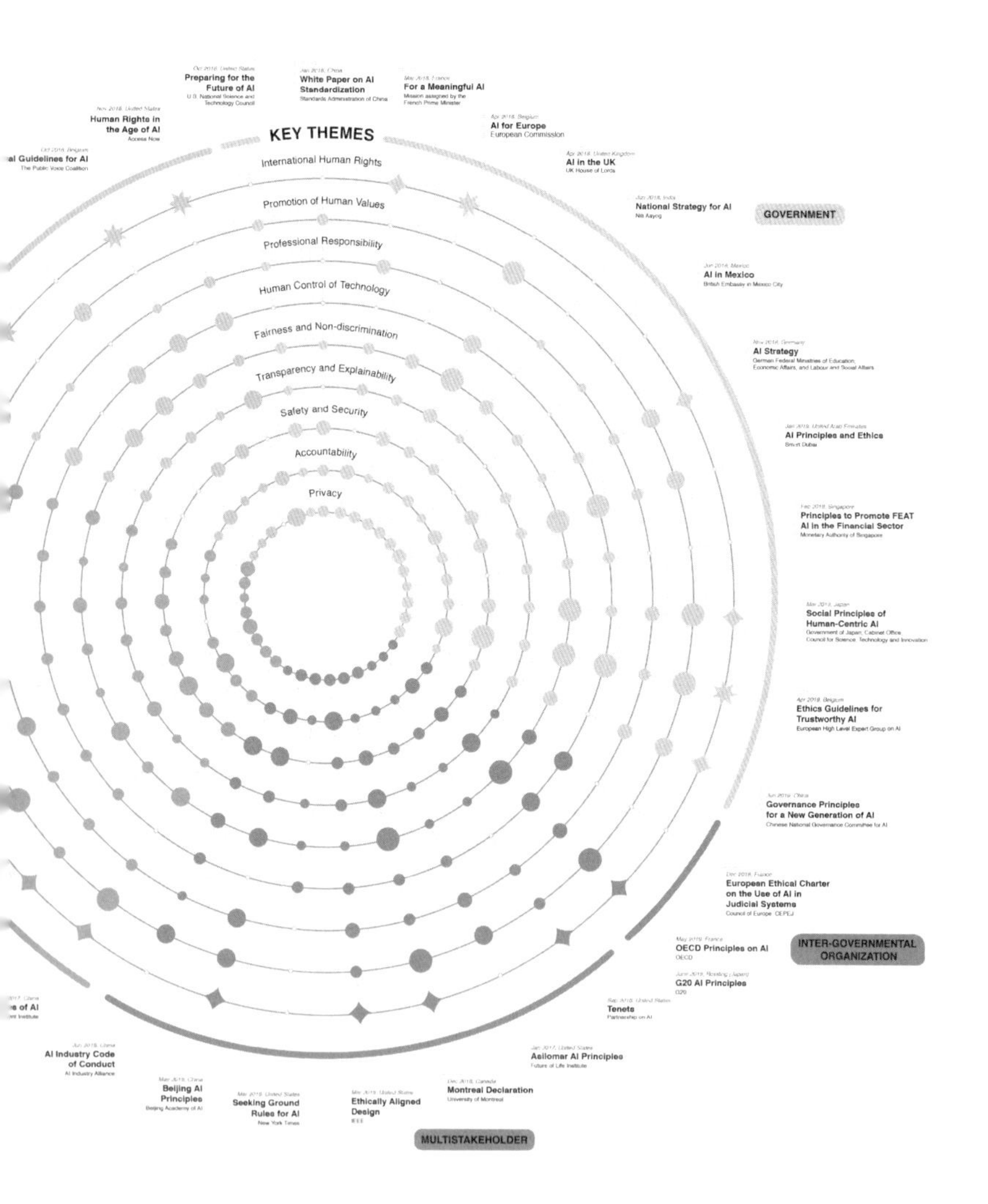
Preparing for the Future of AI
U.S. National Science and Technology Council
White Paper on AI Standardization
Standards Administration of China
For a Meaningful AI
Mission assigned by the French Prime Minister
Human Rights in the Age of AI
Access Now
KEY THEMES
AI for Europe
European Commission
al Guidelines for AI
The Public Voice Coalition
AI in the UK
UK House of Lords
International Human Rights
Promotion of Human Values
National Strategy for AI
Niti Aayog
GOVERNMENT
Professional Responsibility
AI in Mexico
British Embassy in Mexico City
Human Control of Technology
Fairness and Non-discrimination
AI Strategy
German Federal Ministries of Education, Economic Affairs, and Labour and Social Affairs
Transparency and Explainability
Safety and Security
AI Principles and Ethics
Smart Dubai
Accountability
Privacy
Principles to Promote FEAT AI in the Financial Sector
Monetary Authority of Singapore
Social Principles of Human-Centric AI
Government of Japan; Cabinet Office; Council for Science, Technology and Innovation
Ethics Guidelines for Trustworthy AI
European High Level Expert Group on AI
Governance Principles for a New Generation of AI
Chinese National Governance Committee for AI
European Ethical Charter on the Use of AI in Judicial Systems
Council of Europe: CEPEJ
OECD Principles on AI
OECD
INTER-GOVERNMENTAL ORGANIZATION
G20 AI Principles
G20
e of AI
Tenets
Partnership on AI
AI Industry Code of Conduct
AI Industry Alliance
Asilomar AI Principles
Future of Life Institute
Beijing AI Principles
Beijing Academy of AI
Seeking Ground Rules for AI
New York Times
Ethically Aligned Design
IEEE
Montreal Declaration
University of Montreal
MULTISTAKEHOLDER

PRINCIPLED ARTIFICIAL INTELLIGENCE

A Map of Ethical and Rights-Based Approaches to Principles for AI

Authors: Jessica Fjeld, Nele Achten, Hannah Hilligoss, Adam Nagy, Madhulika Srikumar

Designers: Arushi Singh (arushisingh.net) and Melissa Axelrod (melissaaxelrod.com)

HOW TO READ:

Date, Location

Document Title

Actor

COVERAGE OF THEMES:

The size of each dot represents the percentage of principles in that theme contained in the document. Since the number of principles per theme varies, it's informative to compare dot sizes within a theme but not between themes.

The principles within each theme are:

Privacy:
Privacy
Control over Use of Data
Consent
Privacy by Design
Recommendation for Data Protection Laws
Ability to Restrict Processing
Right to Rectification
Right to Erasure

Accountability:
Accountability
Recommendation for New Regulations
Impact Assessment
Evaluation and Auditing Requirement
Verifiability and Replicability
Liability and Legal Responsibility
Ability to Appeal
Environmental Responsibility
Creation of a Monitoring Body
Remedy for Automated Decision

Safety and Security:
Security
Safety and Reliability
Predictability
Security by Design

Transparency and Explainability:
Explainability
Transparency
Open Source Data and Algorithms
Notification when Interacting with an AI
Notification when AI Makes a Decision about an Individual
Regular Reporting Requirement
Right to Information
Open Procurement (for Government)

Fairness and Non-discrimination:
Non-discrimination and the Prevention of Bias
Fairness
Inclusiveness in Design
Inclusiveness in Impact
Representative and High Quality Data
Equality

Human Control of Technology:
Human Control of Technology
Human Review of Automated Decision
Ability to Opt out of Automated Decision

Professional Responsibility:
Multistakeholder Collaboration
Responsible Design
Consideration of Long Term Effects
Accuracy
Scientific Integrity

Promotion of Human Values:
Leveraged to Benefit Society
Human Values and Human Flourishing
Access to Technology

Further information on findings and methodology is available in Principled Artificial Intelligence: Mapping Consensus in Ethical and Rights-Based Approaches *(Berkman Klein, 2020) available at* ***cyber.harvard.edu***.

BERKMAN KLEIN CENTER
FOR INTERNET & SOCIETY AT HARVARD UNIVERSITY

CIVIL S
Future
Toronto D
Top 10 Principles for Ethical AI
UNI Global Union
IBM Everyday Ethics for AI
IBM
Declaration of the Ethical Principles for AI
IA Latam
Guiding Principles on Trusted AI Ethics
Telia Company
AI Principles of Telefónica
Telefónica
PRIVATE SECTOR
AI at Google: Our Principles
Google
Microsoft AI Princip
AI P

Principles Artificial Intelligence ProjectでビジュアライゼーションされたAI原則比較各種組織（政府・企業・市民団体など）のAI原則比較［Fjeld, Achten, Hilligoss, Nagy, Srikumar, 2020］

リング（行動、経済状況や性格などに応じて個人ごとに点数付けを行うこと）を行うことなどは禁止されています。また飛行機や自動車などEU一般製品安全規則の対象製品に使われるAIや、人の生体識別およびカテゴライゼーションや重要インフラの管理・運用に用いられるAI、教育・雇用関連に用いられるAIなど、ハイリスクに指定されているAIの利用に当たっては、ログの出力・管理や人間による監視など、システム上・マネジメント上の複数要求事項を課しています。

このように、AIに関してはガバナンスに対する環境整備が進みつつあります。しかし、その実行は容易ではありません。近年は、企業の社会的責任に対する表明が実態に即していない場合には、〝〇〇 Washing〟と呼ばれ批判されるようになってきています。たとえば、2019年にGoogleはAIの運用を監督する外部委員会を立ち上げましたが、委員会に性的マイノリティや移民に否定的なメンバーやドローンの軍事利用を推進していたメンバーがいたことが社内外から批判を浴び、わずか10日で委員会を閉鎖することになりました［D'Onfro, 2019］。これは、ethics-washing の事例として挙げられています［Karen, 2019］。

デジタルエシックスの歴史を概観して

ここまでで、デジタルエシックスの歴史を3つの時代に分けて概観してみました。このように概観すると、デジタルエシックスは、過去の議論も取り込みながら、功利主義・義務論・徳

OECDのAI原則と関連する倫理的観点

原則	倫理的観点
1. AIは、包摂的成長と持続可能な発展、暮らし良さを促進することで、人々と地球環境に利益をもたらすものでなければならない	功利主義
2. AIシステムは、法の支配、人権、民主主義の価値、多様性を尊重するように設計され、また公平公正な社会を確保するために適切な対策が取れる－例えば必要に応じて人的介入ができる－ようにすべきである	義務論
3. AIシステムについて、人々がどのようなときにそれと関わり結果の正当性を批判できるのかを理解できるようにするために、透明性を確保し責任ある情報開示を行うべきである	義務論
4. AIシステムはその存続期間中は健全で安定した安全な方法で機能させるべきで、起こりうるリスクを常に評価、管理すべきである	義務論
5. AIシステムの開発、普及、運用に携わる組織及び個人は、上記の原則に則ってその正常化に責任を負うべきである	義務論／徳倫理学

倫理学の各観点を使い、デジタルテクノロジーの発展に呼応するように変化してきていることがわかります。

たとえば先に紹介した、ＯＥＣＤの「ＡＩ原則」は非常にわかりやすい例といえます。この原則をあらためて見てみると、上の表のように解釈でき、倫理の３観点をバランスよく取り入れながら原則が構成されていることがわかります。

今後もデジタルエシックスは、デジタルテクノロジーの発展に対応し、倫理の各観点からアップデートされていくことでしょう。

第3章

デジタル先進国デンマークのデジタルエシックス

Invitation to Digital Ethics

デンマークのデジタル化の歩み

目に見えないところでデジタル化が進む国

第1章で紹介したデジタル先進国、デンマーク。首都コペンハーゲンの中心部には石造りの重厚な建物が並び、夕方4時を過ぎれば、レストランやカフェのテラス席にはビール片手に談笑する人々が。ひとたび郊外に出ればひたすら平らな大地に広大な畑が広がり、時折、牛や豚の姿も。ここが世界のデジタル先進国とは、にわかには信じられません。

その片鱗を感じることができるのは、買い物をするときに現金で支払おうとして、店員から「え？　現金？」と驚きの表情を見せられたときくらいでしょう。デンマークではスマートフォンアプリでの決済が広く普及しており、すでにキャッシュレスどころかカードレス社会に入っているのです。

国連経済社会局が発表している電子政府ランキング（EGOV）で、デンマークは2020年以降、3年連続して1位を獲得しています。デンマークがデジタル先進国といわれる理由は、歩いてみただけでは見えてこない国全体のデジタルインフラの充実度、そしてそれを構築してきた電子政府政策にあるのです。

ロスキレ大学准教授で北欧研究所代表を務める安岡美佳さんは、デンマークの電子政府政策が進展した要因として、次の３点を挙げています。

１　長期的視点に基づく政策
２　市民へのコミュニケーションを軽んじなかったこと
３　使い勝手の良いシステムの模索

この３点を頭に置きながら、デンマークの電子政府への歩みを見ていきましょう。

長期的視点で3年ごとにデジタル戦略を発表し推進

デンマークの電子政府の出発点となったのは、１９６８年に導入されたＣＰＲ番号です。日本では郵便番号制度が開始された年です。ＣＰＲとは、Det Centrale Personregister のことで、日本語に訳せば中央市民登録システム。市民一人一人にユニークな番号を割り当てるもので、日本のマイナンバーやアメリカの社会保障番号と同様な個人ＩＤといえます。ＣＰＲ番号自体は10桁の数字で、生年月日を示す7桁の数字と、それに組み合わせて個人を識別するための3桁の数字の組み合わせでできています。導入当初は自治体の計算機センターにパンチカードで保存されていました。

主に税務処理における個人情報管理の効率化のために導入され、１９７０年にはＣＰＲ番号を利用した中央納税管理システムが導入されますが、すべての国民を識別できることから、医療記録、行政手続きのＩＤ、民間企業との取引のＩＤへと利用範囲を広げています。１９７２年には各自治体のＩＴセンターを統合して、自治体や政府の情報化を支援する公営企業コムーネデータ（ＫＭＤ、２００８年に民営化）も設立され、各省庁や自治体が持つ行政情報のデジタル化が進められていきます。それは、将来の社会福祉負担の増加に対応し、行政の効率化のために始められたものでした。

政府・公的機関（以下、公的機関）のＩＴ化・効率化が中心であったそれまでのＩＴ政策を、市民や民間企業と協働する政策へと転換したのが、２００１年にデンマーク政府が発表した行動計画「IT for All-Denmark's Future」です。この年、日本でも「e-Japan戦略」が発表されています。

デンマーク政府は、その後もほぼ3年ごとにデジタル化戦略を発表し、それに基づいて社会のデジタル化を進めていきます。その戦略は、まず公的機関内部のデジタル化（デジタライゼーション）を進めて業務の効率化とデジタル基盤の構築を進め、その後に市民や企業から政府へのアクセスのデジタル化を目指し、最終的には市民や企業がオンラインで効率的に公的機関とのやりとりや手続きを〝セルフサービス〟で行えるようにするというものです。その過程で、データプラットフォームの整備も進め、企業のデータ利用を含むオープンデータ化も進めています。

このような戦略によって、市民や企業は、政府がそれぞれのデジタルサービスを提供開始した段階から、そのメリットを感じることができるようにしたのです。

それでは、デンマークの電子政府を構成する要素について、見ていきましょう。

あらゆるデジタル化の基盤となるＣＰＲ番号（個人ＩＤ）と認証システム

ＣＰＲ番号で市民一人一人のさまざまな情報を統一的に扱える基盤を構築し始めるのに続いて整備されたのが、公的機関へのオンラインアクセスを安全に利用する基盤となる個人認証システムです。この2つが整備されたことで、デンマークでは本格的な電子政府サービスが次々と開発・導入されていきます。

現在、ＣＰＲ番号は、各省庁の持つすべての市民の個人記録がひも付けられ、ＣＰＲ番号から、行政に関わるあらゆる個人情報にアクセスできるようになっています。行政サービスや医療サービスを受けるときに加えて、銀行口座の開設、就職、起業、賃貸物件の契約、電力会社やガス会社を変更するときなど、民間も含めてさまざまな局面で利用されています。

ただし、各公的機関や民間企業がＣＰＲ番号からアクセスできる情報の範囲は法律で定められており、業務上必要ではない情報へのアクセスはできないようになっています。また、一部情報については、アクセスするのに本人の了承が必要になります。ヨーロッパの多くの国と同様に、個人情報は本人のものであり、政府といえども必要のない情報は利用できず、また、無断で第三者には公開できないという原則を、法律で保証している形です。

なお、ＣＰＲ番号の下3桁は、男性は奇数、女性は偶数が割り当てられますが、２０１４年からはトランスジェンダーの人はこの数字を申請によって変更できるようになっています。

市民が政府のウェブサイトでＣＰＲ番号にひも付けられた自身の個人情報にアクセスするた

デンマーク政府のデジタル化の歩み

1968（年）	CPR番号導入
1970	中央納税管理システム導入
1972	KMD設立
1977	国民患者医療システム導入
2000	個人情報保護法成立、監視機関設立
2001	政府戦略「IT for all - Denmark's Future:Digital Cooperation」発表
2003	eDay1（全政府、公共団体間での電子書類交換開始）
2004	DanID（個人認証システム）導入
	政府戦略「eGovernment Strategy for 2004-2006:Payment and internal digitalisation」発表
2005	eDay2（全公共サービスの電子化、市民・企業は電子的に政府・地方公共団体への連絡／返答を行う権利）
2007	Borger.dk 提供開始
	政府戦略「eGovernment Strategy for 2007-2010:Joint infrastructure: NemID, NemLogin」発表
2010	eDay3（市から市民・企業に電子的に連絡を行うシステム導入完了）
	NemID（第2世代個人認証システム）導入
2011	政府戦略「eGovernment Strategy for 2011-2015：Digital Communication: eBoks, Metadata」発表
	デジタル庁発足
2014	eDay4（政府・地方自治体などの公的組織から市民への連絡が電子化）
2016	政府戦略「eGovernment strategy for 2016-2020: Data use and sharing of data: next generation」発表
2018	政府戦略「Strategy for Denmark's Digital Growth」発表
2021	MitID（第3世代個人認証システム）導入
2022	政府戦略「National Strategy for Digitalisation:Together in the digital development」発表

出所：安岡美佳「デンマークのデジタルガバメント」、デンマーク政府発表およびデンマークデジタル庁

めには、なりすましや情報漏洩を防ぐために個人認証（電子署名）が必要となります。

デンマークでは、２００３年に公開鍵暗号方式を利用した「DanID」という電子署名を導入しました。しかし、複数端末から利用できないことや、各省庁のサイトに別々にログインする必要があるなどの問題から、利用件数は伸び悩みました。

そこで２０１０年には、第2世代の個人認証・電子署名方式として「NemID」を導入しています。職場のＰＣやスマートフォンなど、複数の端末からのアクセスを可能にし、一度ログインすれば別々の省庁のサイトをログイン状態で利用できるシングルサインオンを実現するなど、利便性を大きく高めました。その結果、利用件数は大幅に伸び、ほとんどの市民が利用する個人認証システムとなりました。開発には金融業界も協力し、公的機関以外でも個人認証として利用可能になり、ほぼ全ての行政サービス（公共料金や税金の支払い、医療サービス、図書館の利用・貸出し、引っ越し手続きなど）に加え、銀行のオンラインバンキング、交通用カードの申し込み・チャージ等にも利用できるようになりました。

２０２１年からは、第3世代の個人認証・電子署名方式として「MitID」が導入されています。ＥＵ規則に則った新しい認証技術を導入すると同時に認証過程もスマートフォンアプリで可能（スマートフォンを使えない人のために認証専用デバイスも用意されている）となり、さらに利便性が高まっています。安全性と使い勝手を向上させることで、普及を進めてきたといえるでしょう。

あらゆる行政サービスのオンライン化

電子政府サービスの中核を成すのが、行政オンラインサービスのポータルである「Borger.dk」です。Borgerは市民の意味で、このポータルを通してさまざまな行政サービスが利用できることから、「公共部門へのゲートウェイ」をうたっています。実はデンマークでも、かつては各省庁や自治体が独自にサイトを構築しており、利用したいサービスによってどのサイトにアクセスすればよいのかわかりにくい状況にありました。2007年に公開されたBorger.dkは、これらを一元化し、利用者の目線に立ったカテゴリー別にまとめたのです。

Borger.dkは、次ページの表に挙げた17のカテゴリーでメニューが構成されています（2024年1月現在）。市民の暮らしに関わるさまざまな行政手続きを、申請する省庁・自治体を意識することなくワンストップで行うことができ、ほとんどの手続きはオンラインで完結します。

たとえば、引っ越しの手続きであれば、移転届けのページで必要な情報を入力すると、入力結果が各省庁や自治体に連携され、必要な手続きがワンストップで完了します。しかも、CPR番号を使ってログインすることで、あらかじめ登録されている情報（氏名、家族の氏名、引っ越し前の住所等）が入力済みの状態で表示されるため、最小限の入力や項目選択で手続きが行えるようになっています。

「マイページ」では、各省庁や自治体が保管する自分自身の情報を閲覧でき、各種申請履歴や、今後必要になる申請手続きなどの情報も表示されるようになっています。また、後述する医療

Borger.dkのカテゴリー

家族と子ども	学校と教育	健康と病気
インターネットとセキュリティ	年金と早期退職	ハンディキャップ
仕事、手当、休暇	金融、税、SU（学生援助金）	シニア
住宅と移転	環境とエネルギー	輸送、交通、旅行
海外のデンマーク人	デンマークの外国人	社会と権利
警察、司法、防衛	文化とレジャー	

や税務、年金のポータルサイトや電子郵便サービスe-Boks、法人支援ポータルにも、アクセス可能になっています。

市民のBorger.dkの利用頻度は高く、EUのDPA factsheets-2023によると、利用可能な届け出・手続きは２０００を超え、年間サイト訪問者数は７２００万人、訪問者の満足度も91％に達しています。政府側から見ると、市民が届け出を入力してくれる上に省庁の枠を超えてデータが連携されるため、誤入力や再入力の手間をほとんどなくせることになります。

さらに、２０１２年からは、行政機関からの連絡が、一人一人に専用のメールボックス「e-Boks（「電子私書箱」という意味）」に送られるようになったため、公的機関からの郵便物はほぼ送られなくなっています。約４００の公的機関がeBoksを連絡手段としており、市民約４８０万人、企業68万社が利用と、デンマーク社会に定着しており、市民はe-Boksをチェックすることが習慣となっています。

また、各種手当等を公的機関から受け取るための口座を登録しておく制度NemKonto（「簡単な口座」という意味）があり、その都度の口座登録は必要なくなっています。NemKontoの対象は、税金の還付金、年金、児童手当や失業手当、社会福祉費（デンマークでは国や公的機関からの助成制度が充実している）など多岐にわたります。コロナ禍での給付金振り込みにも、もちろんNemKontoが利用されており、コロナ禍における迅速な対応に非常に役に立ちました。２００５年に導入され、18歳以上の全国民とデンマークで登記した全企業は、NemKontoを持つことが義務付けられており、２００８年以降は、企業の給与振り込みもNemKontoに振り込むのが基本になっています。利用者数は約５１０万人、利用率は97％で、年間取引件数は約7億件に達しています（２０２０年、デジタル庁発表）。

健康・医療情報のデジタル化でも世界に先駆ける

市民への行政サービスは、市民ポータルBorger.dkによってデジタル化されていますが、デンマークでは、デジタル基盤を活用して、そのほかの分野でもデジタル化が進んでいます。その中でも重要なのが、健康・医療情報のデジタル化でしょう。デンマークの医療は、地域自治体が管轄する公的サービスが基本となっていますが、ＣＰＲとひも付ける形で全国民の健康・医療情報を記録するＮＰＲ（全国患者登録）が１９７７年に作られて以降、すべての情報が記録され、閲覧できるようになっています。

健康・医療情報をまとめて閲覧できるヘルスケアポータルとして、Borger.dkに先んじて２０

03年に導入されたのが、「Sundhed.dk（Sundhedは「健康」という意味）」です。生まれてから現在までの全ての健康診断の結果、診察・検査・処置の記録、予防接種記録等が閲覧でき、病院の予約もできます。

また、医療関係者も、Sundhed.dkで患者の健康状態の推移や過去にどんな病気に罹ってどんな治療を受けたのか、どんな薬を投薬されたのかといった記録を閲覧できるので、より的確な診療をできます。

Sundhed.dkによって、医療の質の向上と効率化を図ると同時に、市民も自分の医療情報を閲覧することで健康意識を高めることができるようになっています。

政府のデジタル化はビジネスのデジタル化も促進

行政のデジタル化は、市民生活だけでなく、企業活動に対しても進められています。

市民にCPR番号が付与されるのと同様に、企業には、CVR（Det Centrale Virksomhedsregister、法人登録）番号が付与されています。CVRは1999年に導入され、企業の基本情報が登録されているほか、公的機関や協会に関する情報も登録されています。

2003年には、企業が申告や申請手続きを行うためのポータルサイトとして、「Virk.dk（Virkは「ビジネス」という意味）」が開設されました。企業はVirk.dkで、企業名、住所、企業形態、業種、従業員数、年次報告書などの情報を登録・変更でき、税務申告などの各種申告や報告、公的機

デンマークのポータルシステムの構成

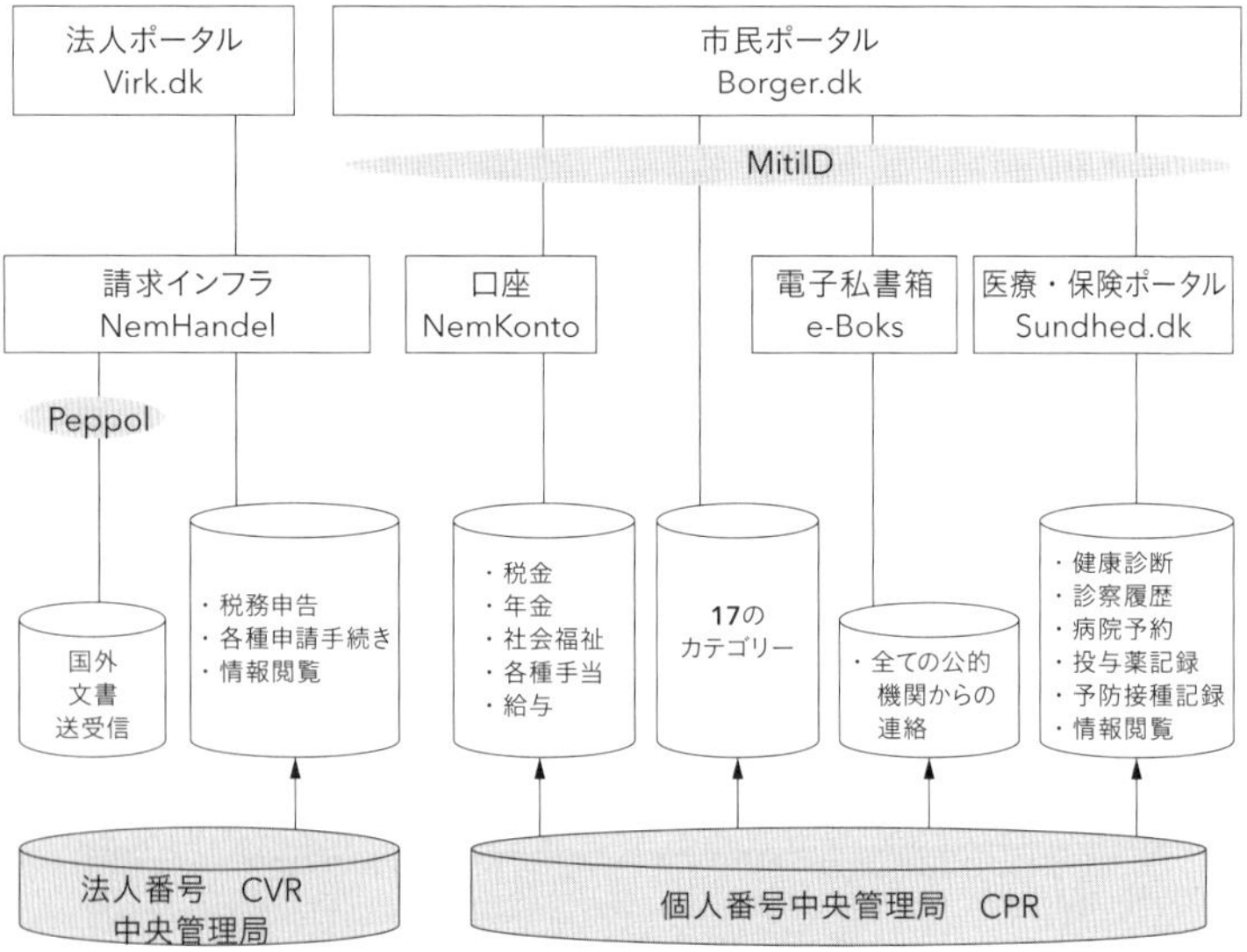

法人ポータル
Virk.dk

市民ポータル
Borger.dk

MitID

請求インフラ
NemHandel

口座
NemKonto

電子私書箱
e-Boks

医療・保険ポータル
Sundhed.dk

Peppol

国外
文書
送受信

・税務申告
・各種申請手続き
・情報閲覧

・税金
・年金
・社会福祉
・各種手当
・給与

17の
カテゴリー

・全ての公的
機関からの
連絡

・健康診断
・診察履歴
・病院予約
・投与薬記録
・予防接種記録
・情報閲覧

法人番号　CVR
中央管理局

個人番号中央管理局　CPR

出所:「デンマークの電子政府の試み」(安岡美佳、鈴木優美　海外社会保障研究
Autumn 2010 No.172) P18を基に作成

関関連の申請手続きを行えます。利用できる電子申請は約１６００種類に上り、２０２０年の取引件数は２３００万件に及びます。

登録された情報は政府統計の作成にも利用されており、Virk.dkでは、企業がビジネス関連の情報を得たり、公開データを閲覧することもできます。

さらに、公的機関と企業の間の電子調達やオンライン請求のインフラとして、２００５年には「NemHandel（「簡単な取引」という意味）」が開設され、２０１０年までに公的機関との取引にはNemHandelを使用することが義務付けられました。それを契機に、請求、会計、税金の申告まででをデジタル化してオンラインで行う企業が増加し、企業間の取引のデジタル化、オンライン化も進みました。

NemHandelもＥＵ各国で広く使われているオンライン文書交換システム「Peppol」に接続しデンマーク国外との文書送受信を可能にしたほか、企業の使用する会計システムとの連携を可能にするなど、利便性が向上しています。現在では約6万7０００社が利用し、年間３０００万以上の文書がNemHandelでやりとりされるようになっています。

このように、公的機関内部、市民向け、企業向けと行政手続きのデジタル化、オンライン化を次々と進めたことにより、現在では行政文書はほぼ１００％デジタル化され、市民・企業と公的機関との連絡もメールになり、公的機関からの支払いは登録した銀行口座に直接入金されるようになっています。

データの二重登録や再入力の解消に加え、データを利用者自身が確認できることによる透明性の確保は、政府への信頼向上にも結び付いています。デンマーク大使館は、オンライン化による効果として、国民の行政手続きに要する時間が年間平均1～2日減少したとしており、また、デジタル庁はデジタル化の成果として、年間2億9600万ユーロの経費削減に加え、政府省庁の事務処理時間が30％削減されたとしています。

●市民へのコミュニケーションと参加型デザイン

とはいえ、市民や企業へのオンライン手続き等の義務化を含む電子政府化には、新たな施策の導入の都度、反対の意見もありました。デンマーク政府は、電子化を進める理由や電子化の仕組み、それによって得られるメリットなどをさまざまな場を通じて市民や企業に訴求してきました。

実は、電子政府のシステムは個人情報の大規模流出事件も引き起こしていますし、新たなシステムの導入が大幅に遅れたこともあります。ですが、政府は原因や対策を速やかに明らかにし、説明責任を果たすことで、おおむねの市民の合意を得て、電子化を進めてきています。

そこには、もともと、政府が市民とのコミュニケーションを大切にし、市民の政府への信頼が非常に高いというデンマークならではの事情もあります。より端的に言えば、デンマークの市民は、長い年月をかけて信頼できる政府を作り上げてきたといえます。

シニア等、デジタル機器の操作に慣れていない人に対しては、自治体や図書館、シニアセンターやシニア向けNPOが利用方法の教室を開くなどのサポートが用意されています。e-Boksに関しては、子どもやシニアのe-Boksに届いた通知の確認を家族等に委任できる仕組みもありますし、デジタル機器を持っておらずe-Boksにアクセスできない人は紙で通知を受け取ることもできます。文字通り、〝誰一人取り残さない〟ことを、制度として保証しているのです。

また、市民に使ってもらうためには、わかりやすく使いやすいシステムである必要があります。デンマークはデザイン大国ともいわれるように、デザインに関しても優れた実績を誇っています。それは、家具や建築のデザインだけでなく、UI、UXから社会デザインにまで及びます。

さまざまな情報を取り扱うBorger.dkの開発には、参加型デザインという手法が採り入れられました。これは、開発の初期段階から、サービス提供者や開発者だけでなく、利用者である市民、さらにはデザイナー、研究者、文化人類学者といった人々が参加する手法で、多くのステークホルダーが意見を取り交わしながらサービスを作り上げていくものです。結果として、サービス提供者、利用者の双方が納得でき、使いやすいシステムに近づけることができたのです。

このような手法が生かせる背景には、年齢や職務上の上下関係にとらわれず誰もが本音ベースで意見を述べ、他人の意見を受けて新たな解決方法を考え、さらには意見を述べるだけではなく実行するという姿勢を、幼いときから鍛えられ、身に付けている人が多いということもあります。Borger.dk以外でも、デンマークの電子政府サービスでは、利用者の意見を生かし、デザイン会社の力も借りて、使いやすいシステムを目指すのが当然のこととなっています。

デジタル化がもたらす新たな成長

行政のデジタル化は、デンマークに統一されたデジタルインフラとデータの蓄積をもたらしています。「データは新しい石油」といわれるように、このこと自体が新たな競争力の源泉となることは言うまでもありません。

しかし、デジタル化がもたらすものはそれだけではありません。デジタル化が生活やビジネスに浸透していくと、何が起こるでしょうか。紙の伝票と電卓で仕事をしていた時代と、PCで仕事をするようになってからの変化を思い起こしてみるとよいでしょう。移行時の苦労はあっても、もう紙と電卓の時代には戻りたくないと思う人が多いでしょう。それに加えて、データの集計が簡単になると、それまでできなかった分析を始めてみたり、そこから新しい企画を考えるようになった人も多いのではないでしょうか。

デンマークでは、このような意識と行動の変化が、公共機関、企業、そしてもちろん市民も含めて社会全体で起こっているのです。それも世界最先端ともいえるデータインフラと人々のＩＣＴリテラシーの上に立ってです。

デンマークの電子政府戦略には、新産業の創出と育成という項目が含まれています。そしてその戦略は、着実に実を結び始めています。

たとえば医薬品はもともとデンマークが高い競争力を持つ分野ですが、全市民の長期の健康医療記録を持つことが国外の研究者や医薬品メーカー、さらにはヘルスケア分野への進出を目指すＩＴ企業等を引き付けています。コペンハーゲン周辺地域は、エーレスンド海峡対岸のスウェーデン南部地方と合わせて「メディコンバレー」と呼ばれる世界有数の研究開発拠点となっています。

社会システムデザインでも、国内外の企業がＩｏＴやサイバーフィジカルシステムの実証実験を行う場所として、地理情報から社会インフラ情報、人の情報までが統一して整備されているデンマークを選び、実証実験の結果が新たなデータ資産になるという循環を生み出していま す。

環境技術では、いち早く環境対応を進めてきた経験に加え、その実績がデータとして蓄積されていることが大きな強みとなっています。これは福祉機器も同様です。また、フィンテックではキャッシュレス化、ペーパーレス化がほぼ完了していることが最適な開発・テスト環境を生み出しています。

さらに、有望な〝芽〟があれば、産官学で支援し、共同研究・開発できる場を設け、企業や産業分野、国境を超えて協働して事業をスケールさせるための支援も周到に用意されています。デンマーク企業が市場を創出した協働ロボット（人と協調して作業するロボット）分野において、産官学連携による支援体制の下、スタートアップが次々と誕生してエコシステムを形成しているのがその一例です。国も産業規模も小さいためか、一企業では解決できない課題には協働して対応する文化が根付いているのも、今の時代に向いているのかもしれません。

現在では、国外企業にもデンマークを新規事業や先端技術の研究開発拠点と位置付ける企業が増えている一方、デジタル社会に慣れ親しんだ中から生まれてくるスタートアップも多く、これまでに10社のユニコーン企業を生み出しています（日本は12社）。EUが発表したイノベーションスコアボード２０２３でも、デンマークはEU圏内1位を獲得しています。

デンマークはコンセンサスベースの社会だといわれますが、福祉、環境、健康といった大きな社会課題に対して、さまざまな立場の人たちが対話を重ねて国レベルでのコンセンサスを形成し、それに基づいて国全体で問題解決に当たってきました。デジタル化に加え、こういった社会のあり方が、現在のデンマークの競争力を生み出しています。そしてもう一つ、挙げてきた分野を見ていると、未来へ向けて社会をより良くし、人間の幸福度を増大させる分野に注力しようとしていることも感じられるのではないかと思います。

信頼される政府を実現するために

デンマーク政府が２０２２年に発表した政府方針「National Strategy for Digitalisation: Together in the digital development」では、２０２２～２０２６年をターゲットにした9つのビジョンを提示

していますが、そのうちの一つに「A strong, ethical and responsible digital foundation（強固で、倫理的で責任あるデジタル基盤）」を挙げており、データ倫理と責任あるデータ利用が、政府や公的機関だけでなく、中小企業を含む企業のデジタル開発の中核となるよう取り組むとしています。つまり、デンマークのデジタル化に対する信頼は、責任、透明性、市民の権利に焦点を当てた明確な基本ルールと制度的な取り組みを通じて高めるべきであるとしているのです。

デジタル先進国デンマークは、エシックスでも世界の先頭を行こうとしています。そしてそこには、電子政府の構築過程と同様、人間中心という伝統に基づいて、長期的視点、利用者とのコミュニケーション、利用者にとっての使い勝手という3点が組み込まれています。

次の節以降では、デンマークで開発された、デジタル化におけるエシックスを考えるためのツール「デジタルエシックスコンパス」について紹介していきましょう。

デジタルエシックスコンパスとは

身近な話題から頭をエシックスモードに

デジタルエシックスコンパスの内容を紹介する前に、デンマークデザインセンターが行っているちょっとした頭の体操「ジレンマゲーム」と「これは倫理的なプロダクトでしょうか？」を体験してみましょう。

デジタルエシックスは倫理的課題を扱いますが、「このプロダクトやサービスを開発することは人類にどのような意味をもたらすのか」「私たちの製品が世界を滅ぼしてしまわないか」といった形で私たちの前に立ち現れることは、まずありません（最終的には、そこにつながっていくのですが）。むしろ、良い面と悪い面の両面があってどうすべきか判断に苦しむ「ジレンマ」という形で遭遇することが多いのです。ジレンマゲームは、そこに倫理的課題があることに気付くマインドセットを持つのにとても役立ちます。

ジレンマゲームは、このように行います。

参加者に、色違いの2枚の紙を渡します。ここでは仮に緑と黄色としておきます。ジレンマゲームは一人では成立しません。同じ製品に関わる同僚、可能であれば企画、開発、デザイン、マーケティング、営業、宣伝、管理等々、異なる役割を果たしている部門の方々にも参加してもらうようにします。

そして、次のような質問に、配った紙を挙げて回答してもらいます。もし自分が参加者ならばどちらの色の紙を挙げるか想像してみてください。

ジレンマゲーム1

あなたの勤め先から、健康診断について新たな提案がありました。AIを利用したヘルスケアサービスを提供するベンチャー企業と契約を結び、あなたの過去の健康診断や休暇取得、時間外労働、所属した部門と業務内容、社内カウンセリングのデータを基に、今後の医療・介護負担を評価し、健康アドバイスを提供してもらうことになったというのです。参加は任意です。あなたはこのプログラムに参加しますか？

緑：健康を気遣ってくれることに感謝し、的確なアドバイスを受けることを楽しみにします。

黄：会社が健康診断や社内カウンセリングのデータを本人の承諾なく長期間保存していること、そのような個人情報を社外に提供することに抗議します。あなたは、反抗的な社員と認定されてしまうと感じています。

ジレンマゲーム2

あなたは、あるメーカーから委託を受けて、ユーザーサポートアプリの開発を行っています。ユーザー調査の結果を踏まえた新しいシナリオを社内でテストしてみたところ、これまでにない滞在時間と没入感を得られることがわかりました。アプリの効果を大きく増大させられることとは間違いありませんが、ユーザーの滞在時間が長くなり過ぎると社会から批判を浴びるおそれもあります。あなたは、このシナリオを採用しますか？

緑：これこそ〝神シナリオ〟だと全面的に導入して、ユーザー数と滞在時間、満足度の向上に貢献します。それが目的であるユーザーサポートの強化にもつながるからです。

黄：数値的には良い結果を得られたとしても、シナリオに踊らされたユーザーが本当に満足するとは思えません。もっとユーザーの主体性を尊重するシナリオを考えます。

ジレンマゲーム1の問いに対して、社員として大切にされ、良いサービスを受けられることを喜ぶ人もいるでしょう。一方で、自分の知らない間にセンシティブな情報が会社に集積されていたことに恐怖を覚える人もいるかもしれません。また、ジレンマゲーム2の問いに対しては、アプリは使用したいユーザーが使っているのだから、より良いユーザー体験を与えられ、ユーザーと私たちがお互いに幸せになれると考える人もいるでしょう。一方で、意図しないほどの没入感がユーザーの日常生活に支障を来し得ることに不安を抱く人もいるでしょう。しかし、どちらの回答を選ぶか、はジレンマゲームのポイントではありません。参加者が回答の紙を挙げている間に周りを見渡してみれば、自分とは反対の考えの人も多くいることに気付くはずです。ここで、何人かに、その回答を選んだ理由を尋ねてみます。それぞれの理由に耳を傾けているうちに、さまざまな感じ方、考え方があること、エシックスに関わる点だけでも、いろいろな立場があり得ることに気付きます。

さらに少人数に分かれて話し合うことによって、エシックスについて考えるとは、さまざまな考え方を持つ人と意見を交換し、より良い答えを生み出すことであると身をもって感じられるはずですし、回答とは別の解決策が見つかるかもしれません。

エシックスと聞くと、それぞれの課題に「絶対的正解」があると思いがちですが、正解がない問題について、いろいろな角度から考えることで、より良い策を生み出していくのも倫理的思考だといえます。

「倫理的」をコントロールできる可能性

本来、物体であるプロダクト自体が倫理的か否かという問いは意味を成しません。しかし、プロダクトは人が扱うものであり、人が介在することで倫理的かどうかを自ずと問われることになります。「倫理的なプロダクトとは？」の問いでは、その位置付けに議論が巻き起こる「銃」について、参加者に問いを投げかけます。

参加者には銃の写真と「これは倫理的なプロダクトでしょうか？」という問いが提示されます。この問いについて、他の参加者と意見交換を行います。

銃は、武器であり、人を殺傷することを目的に製造されているプロダクトであることを誰も

「これは倫理的なプロダクトでしょうか?」の問1

Is this an ethical product?

これは倫理的なプロダクトでしょうか?

DDC

出所:Danish Design Center

が知っています。しかし、その使用目的は、犯罪など、人に害をなすことの場合もあれば、誰かを救うため、自身を守るための場合もあります。こういったさまざまなことに想像を巡らし、意見を交換して銃に対する思考を深めます。

次に、銃に対して何らかの倫理的意図を持ちデザインすることで、銃の倫理的位置付けを変容させることができないか、思考のエクササイズをします。

まず、「より〝倫理的でない〟ものにするには、何ができるでしょうか?」という問いを提示します。問いとともに、銃の写真とその周囲に「製品」「製品周辺のサービス」「製品・サービス周辺のシステム・社会」と3つのレイヤーが、直径の異なる同心円で表されています。

あえて〝倫理的でない〟方向に思考を巡らせることで、「倫理的であるとは?」を考える思考の軸を参加者に持ってもらうことが狙いになっています。

続いて、先ほどと同様の図に「より倫理的なものにす

「これは倫理的なプロダクトでしょうか？」の問2

出所：Danish Design Center

るには、何ができるでしょうか？」という問いが提示されます。先ほどの思考で各人の頭の中に構築されつつある「倫理的であるとは？」の軸を使いながら、それぞれのレイヤーに対して倫理的に改変する具体策を考え、意見交換をします。

「より〝倫理的でない〟ものにするには、何ができるでしょうか？」に対する回答としては、銃自体の威力や能力を向上させることや、銃や弾薬を入手しやすくしたり価格を下げて使用するハードルを下げること、法律改正によって銃を用いることへのためらいを減らすことなどが考えられそうです。ここで考えた例を基にすると、「倫理的であるとは？」で考え得る軸として、銃が生み出す被害の大きさ、物理的な使用（入手）しやすさ、使用者の心理的な使用のしやすさという3つの軸が仮説として浮かび上がってきます。この軸を用いて「より倫理的なものにするには、何ができるでしょうか？」の問いの答えを考えます。そうすると、より被害が小さく、より使用（入手）が難しく、より心理的に歯止めがかかるようにするというコンセプトを持ってデザインすれば、銃をより倫理的な位置付けに変容させることができそうです（ゴム弾にする、銃弾1発の価格を1000万円にする、使用する際に「本当に撃つのか？」と確認するプロトコルが入るなど）。こういった考えを他の参加者と意見交換することで、より多様な倫理的な軸や具体的なデザインについて考えられるようになるでしょう。

このように同じプロダクトでもさまざまな捉え方ができ、その捉え方から抽出した倫理的な軸を用いて位置付けをコントロールするデザインをすることで、より倫理的なプロダクトへ変容させ得ることがわかりました。既存のプロダクトを柔軟な視点で捉え直し、常に倫理的なコントロールの方策を検討する姿勢が大切です。

デジタルエシックスを実践する強力な手助け

倫理を考える感覚をつかみ、脳がエシックスモードになってきたでしょうか？　いよいよ本題のデジタルエシックスコンパスの紹介に入っていきましょう。

エシックスに向き合うことは、さまざまなジレンマを抱え、正解のない多様な捉え方を伴う行為だというイメージが付いてきたと思います。そしてその対象を日々急速に進化するデジタル技術やそれを使ったサービス、機能に向けたものがデジタルエシックス（デジタル倫理）です。

そしてデジタルエシックスに基づいて議論や検討をする観点を提供し、デジタルサービスを促進する入り口として役立つのがデジタルエシックスコンパスです。

デンマークデザインセンターが公開するデジタルエシックスコンパス*は、羅針盤（コンパス）を模したビジュアルが印象的なツールキットです。デジタルエシックスを取り入れる重要性は日々、増していますが、実際に取り入れるには、いくつものハードルがあるのではないでしょうか。デジタルエシックスコンパスは、そのハードルを乗り越えるためのツールおよび指針として利用できます。

このツールは、デジタルサービスやデジタル製品に倫理的思考を採り入れることをサポートするために開発されたものです。ですから主な対象はそれらを開発・提供している人や組織ですが、昨今のサービスやプロダクトの多くは開発やマーケティングにデータやデジタル技術を利用していることから、デジタルやＩＴ以外の業界でも、製品の検討に利用したり、あるいはデジタル特有の課題を自分たちの製品の課題に置き換えたりすることで、どのようなビジネスを行っている人や組織にも活用できるものとなっています。

＊ https://ddc.dk/tools/toolkit-the-digital-ethics-compass/

デジタルエシックスコンパス（日本語訳簡易版）

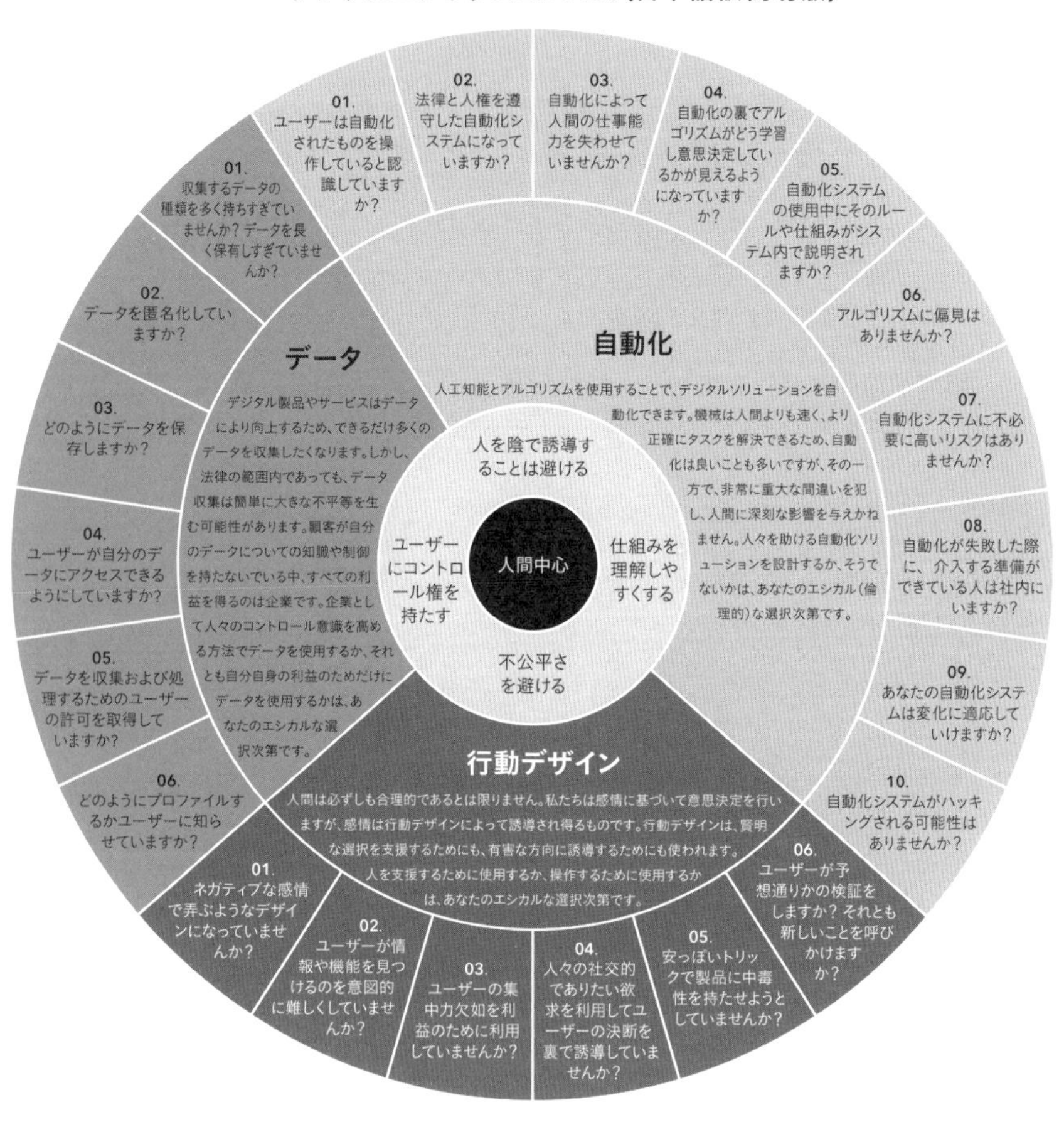

出所：Danish Design Center「Toolkit:The Digital Ethics Compass (ddc.dk)」を参考に作成

デジタルエシックスコンパスを使ってプロジェクトをレビューする

デジタルエシックスコンパスには、自ら課題を発見するためのツールという側面と、デジタルエシックスを自らの製品に適用するためのワークショップのツールキットという側面がありますが、いずれの場合にも中核となるのは前ページに掲げた羅針盤を模したデジタルエシックスコンパスそのものです。

4重の円になっており、中心にはコンパスの基本理念として、「人間中心」という言葉が置かれています。さまざまな捉え方ができる言葉ですが、まずは出発点として、「テクノロジーは人間を幸福にするために存在するのであり、人間を支配したり脅かすものではない」と考えてください。単純なことに思えますが、デジタル技術にかかわることでも、常に自分と同じ生身の人間が関わることを忘れずに想像することが重要です。この場合の人間は、利用者、購入者だけでなく、利用できない人や間接的にしか関わらない人も含む、影響を受け得る全ての人々を指すことも重要です。

デジタルエシックスコンパスの4つの基本原則

2番目の円には次の4つの基本原則があります。

- 人を陰で誘導することは避ける
- 仕組みを理解しやすくする

・不公平さを避ける
・ユーザーにコントロール権を持たす

4つの基本原則は、ただ従えばよい単純なガイドラインではなく、明確な答えのない対立、つまりジレンマを内包するようなものになっています。たとえば、デジタル技術を活用する際にはプロセスを合理的に自動化するケースが多くありますが、これはコントロール権が利用する人からデジタルソリューションに移るということでもあります。自動化が、操作や作業が便利で楽になるというユーザーのメリットのためではなく、ユーザーに十分な情報を与えず選択権も与えないまま不利益な実行をさせようとする仕様になってしまえば、倫理的な問題となるでしょう。4つの原則はどれも、こうした問題に配慮するためのものです。そして、いずれも線引きが難しいものでもあります。「ユーザーにコントロール権を持たせる」という原則も、果してどこまでがユーザーの利益のための選択や操作の簡略化で、どこからが非倫理的なコントロール権の剥奪なのか、まさに正解のない対立、ジレンマを抱えています。デジタル技術を適用する際には、この4つの原則について徹底的に議論することが必要です。たとえば、一般的にどういうシナリオが起こった場合に倫理的に問題になるのか質問し合ったり、扱うサービスやソリューションではどうかを検討したりしてみます。

3つの視点で22の質問

3番目の円には「自動化」「行動デザイン」「データ」の3つの視点が並びます。これらは、人工知能で使われるアルゴリズム、ユーザーの行動に影響を及ぼすユーザーエクスペリエンス（UX）、ユーザーへ表示するインターフェース等を最適化するためのA／Bテスト、デジタルサービスで蓄積・収集されるデータなど、デジタル技術を使ったサービスで倫理的思考が必要になる具体的な領域をカバーする視点として選択されました。

そして一番外側の円には、3番目の円にあった3つの視点別に、合計22項目の質問が書かれており、プロジェクトをレビューする観点として活用することができます。全てではなくても、新たな機会や課題を見つけるヒントとなる問いかけがいくつか見つかるはずです。

自動化

まずは、「自動化」の解説（3番目の円に記載）と質問リスト（一番外側の円に記載）を見ていきましょう。

〝人工知能とアルゴリズムを使用することで、デジタルソリューションを自動化できます。機械は人間よりも速く、より正確にタスクを解決できるため、自動化は良いことも多いですが、その一方で、非常に重大な間違いを犯し、人間に深刻な影響を与えかねません。人々を助ける自動化ソリューションを設計するか、そうでないかは、あなたのエシカル（倫理的）な選択次第です。〟

01　ユーザーは自動化されたものを操作していると認識していますか？
02　法律と人権を遵守した自動化システムになっていますか？
03　自動化によって人間の仕事能力を失わせていませんか？
04　自動化の裏でアルゴリズムがどう学習し意思決定しているかが見えるようになっていますか？
05　自動化システムの使用中にそのルールや仕組みがシステム内で説明されますか？
06　アルゴリズムに偏見はありませんか？
07　自動化システムに不必要に高いリスクはありませんか？
08　自動化が失敗した際に、介入する準備ができている人は社内にいますか？
09　あなたの自動化システムは変化に適応していけますか？
10　自動化システムがハッキングされる可能性はありませんか？

このカテゴリーには、自動化によって、ユーザーが得られる情報が不十分なまま不利益な状態を招かないか注意するための質問のほか、「07　自動化システムに不必要に高いリスクがありませんか？」といった、そもそも自動化を採用すべきかどうかの判断についても問いかけがあることにも注目してください。

自動化システムで意思決定を行うときの倫理的リスクには、4つのカテゴリーがあるといわれています。

1　結果による影響がほとんどない問題が対象で、かつ非常に正確な決定を下しているシステム。ここには大きなリスクはありません。

2　結果によって起こり得る影響が小さい問題が対象で、しばしば誤った決定を下すシステム。この場合リスクを認識する必要がありますが、間違いによる影響は少ないといえます。

3　結果による影響が大きく、間違いにより致命的な結果を及ぼす可能性がある問題が対象で、正確な判断ができるシステム。ここでは、自動化されたシステムが堅牢で偏りがないことを確認するために細心の注意を払う必要があります。そもそも自動化が必要かどうかを検討する必要があります。

4　致命的な結果をもたらす可能性のある問題を対象にし、誤った決定を下すことがよくあるシステム。この場合、自動化は避けるべきです。

これらを参考にすると、たとえば医薬品や治療法など生死に関わる重大な決定を扱う場合には、比較的エラーの少ない人工知能を使った自動化システムであっても、致死量の薬を推奨するようなミスがあってはいけませんから、自動化すべきでない可能性が高いでしょう。ここまで重大ではない多少のリスクがある場合、多くの人により良い結果を与える可能性が高いものであれば、たとえば専門家を入れてリスクを低減するやり方を模索する方法もあります。

行動デザイン

続いて、「行動デザイン」の質問と解説を見ていきましょう。

〝人間は必ずしも合理的であるとは限りません。私たちは感情に基づいて意思決定を行いますが、感情は行動デザインによって誘導され得るものです。行動デザインは、賢明な選択を支援するためにも、有害な方向に誘導するためにも使われます。人を支援するために使用するか、操作するために使用するかは、あなたのエシカルな選択次第です。〟

01 ネガティブな感情で弄ぶようなデザインになっていませんか？
02 ユーザーが情報や機能を見つけるのを意図的に難しくしていませんか？
03 ユーザーの集中力欠如を利益のために利用していませんか？
04 人々の社交的でありたい欲求を利用してユーザーの決断を裏で誘導していませんか？
05 安っぽいトリックで製品に中毒性を持たせようとしていませんか？
06 ユーザーが予想通りかの検証をしますか？　それとも新しいことを呼びかけますか？

デジタルサービスやソリューションでは、ユーザーの好みを学習するテストやアルゴリズムを活用したパーソナライズが可能になるため、作り手がユーザーの行動を後押しすることができてしまいます。これらの問いかけは、作り手側の利益に偏り過ぎて、利用する人たちの利益を侵害していないか、そのバランスを見直す質問になっています。たとえば、「01　ネガティブな感情で弄ぶようなデザインになっていませんか?」という問いかけを考えてみましょう。「こんな良いことがありますよ」とポジティブな言葉でやる気を喚起するより、「こんな損をするかもしれませんよ」といったネガティブな言葉で行動喚起の効果を上げようとする場合がありま す。しかし、特典や割引がもうすぐ終わってしまうので早くしないと大損になるとか、この瞬間に何人もが同じ予約ページを見て迷っているので早くしないと取られてしまうとか、恐怖や不安で人を煽るような宣伝文句で行動を喚起するのはそもそも倫理的とはいえないでしょう。こうしたテクニックを使った大規模なキャンペーンにより、役所やお店が大混雑したり、極端な品不足になったりといった、多くの人に不利益を生む事態を招いた例も思い浮かぶのではないでしょうか。「人間中心」という大原則、つまりビジネスやテクノロジーのために、誰かに不利益が起こり得る行動をするよう誘導していないか、それぞれの問いかけでレビューが必要です。人がより望ましい方向に進む行動を後押しになるよう発想しましょう。

データ

最後に、「データ」にカテゴライズされる解説と問いかけを見てみましょう。

〝デジタル製品やサービスはデータにより向上するため、できるだけ多くのデータを収集したくなります。しかし、法律の範囲内であっても、データ収集は簡単に大きな不平等を生む可能性があります。顧客が自分のデータについての知識や制御を持たないでいる中、すべての利益を得るのは企業です。企業として人々のコントロール意識を高める方法でデータを使用するか、それとも自分自身の利益のためだけにデータを使用するかは、あなたのエシカルな選択次第です。〟

01　収集するデータの種類を多く持ちすぎていませんか？　データを長く保有しすぎていませんか？
02　データを匿名化していますか？
03　どのようにデータを保存しますか？
04　ユーザーが自分のデータにアクセスできるようにしていますか？
05　データを収集および処理するためのユーザーの許可を取得していますか？
06　どのようにプロファイルするかユーザーに知らせていますか？

データ倫理については、個人情報保護法やＥＵ一般データ保護規制（ＧＤＰＲ）など、法規制やガイドライン整備に向けた議論が進んでおり、イメージがつきやすい人も多いかもしれません。ただ、想像しているほど単純ではないこともあります。たとえば、「02　データを匿名化していますか？」は、名前や住所などを削除して個人が特定できなければよいということではありません。一見無害なデータが問題になることもあります。地図上で利用者のサイクリングやランニングルートを公開すれば、匿名化されていても自転車泥棒の役に立ってしまったり、警備区域での警備員の位置という機密情報を漏らしてしまったりすることもあります。この点に配慮し、正確なルートがわからなくて多少不便でも、利用者に危害が及ばない、より安心・安全に使えるデータの収集方法やおもしろい活用・表示方法はないか、新しい機会へ想像力を働かせることもできます。データ利活用の利便性とエシックスのバランスを取ることは難しいかもしれませんが、これらの問いかけは規制への対応だけではなく、優位性を高めるアイデアのヒントとして活用することもできるのです。

一通り見てきましたがいかがでしょうか。自分の製品やビジネスについて、思い当たる節がいくつも見つかったのではないでしょうか。なぜ、こんなことを聞くのか？という疑問を抱かれる質問もあるかもしれません。その場合は、中心の円にある「人間中心」という基本理念や、その外側の円にある４つの基本原則から質問が発生していることを考えてみるとよいでしょう。なかには、これらの質問について思い巡らせる中で、検討してみなければならないトピックをほかにも思い付く方もいらっしゃるかもしれません。それは、デジタルエシックスコンパスを有効に使いこなせている印です。

このように、デジタルエシックスコンパスは、最初に掲載した図だけでも、自らの製品やビジネスについて、デジタルエシックスの観点から検討するときのチェックリストとして使用できます。デンマークデザインセンターのウェブページでは、ＰＤＦで資料をダウンロードできるほか、電子版も公開されています。ウェブページ上では、図の右側にある矢印をクリックすると、外側の２つの輪が回転するようになっています。それぞれの質問について、「人を陰で誘導することは避ける」「仕組みを理解しやすくする」「不公平さを避ける」「ユーザーにコントロール権を持たす」の４つの基本原則から多角的に検討できるようになっているのです。また、各項目をクリックすると、その意味や具体的な例、推奨事項が表示されます。

このようにデジタルエシックスコンパスをチェックリストのように活用し、企画、開発、マーケティング、営業等々、さまざまな部門の人たちと確認し意見交換するだけでも、デジタルエシックスに対する理解と検討を進め、改善していくことができます。

エシックスについて検討する基盤を作るワークショップ

デジタルエシックスについてより深く知り、検討するため、ワークショップを開催することもできます。デンマークデザインセンターはデジタルエシックスコンパスツールキットとして、ワークショップマニュアルやワークシート、事例集もウェブサイトで公開しています。

実際のワークショップでは、企業等からの依頼を受けて、この章の最後に紹介するデンマークのデザイン企業チャーリータンゴ等、デジタルエシックスコンパスを熟知したデザインファームやコンサルティングファームがファシリテーションを行うことが多く、日本ではＮＥＣが日本語でワークショップを実施しています。ワークショップは7つの演習から成り、2日間かけて実施することが想定されていますが、必要性とかけられる時間に応じて、一部のみを行うこともできます。それでは、7つの演習の内容を順に紹介していきましょう。

01　あなたのソリューション

ワークショップでまず問われるのは、「あなたのソリューション（プロダクトやサービス）」です。製品を一つ選び、それがどのような問題を解決しているのか、どのように問題を解決するのか、そしてユーザーは誰かを、参加者一人一人が文章にまとめ、参加者と共有してワークショップで課題とする製品を決めます。

02　コンパスと知識カード

次はいよいよ、デジタルエシックスコンパスを使った演習です。

すでに紹介したツールとしての使い方と同様ですが、「知識カード」（各項目の解説）を考察の助けとします。まず内側2つの円の項目について、凡例を使いながら、深く考察していきます。その後、01の演習で合意した製品に対して、最外周の22の質問を当てはめていきます。ともすれば一般論に陥りがちな倫理的思考が具体的なものになってくるはずです。

03　倫理学教授からの20の質問

デジタル製品が遭遇する可能性のある倫理的な課題について、20の質問が用意され、自分たちが作っているものがどのような影響を与え得るのか、将来の予測も含めて想像し、議論します。倫理的思考を身に付けるためのトレーニングであり、この演習を行うことで、デジタルエシックスについて検討する際に共通の土台を持てるようになるでしょう。

04 新たな視点

次は、自らの製品をさまざまな立場の人の視点で見てみる演習です。

まず、製品のステークホルダーを考えます。直接的なステークホルダーだけでなく、何らかの形で製品の影響を受ける人、さらに何らかの理由で製品を利用できない人についても、どのような人がいるか、カードに書き出してみます。次に、先ほど書き出したステークホルダー、その人の製品への評価（良い／悪いの2種類）、コンパスの5つの原則をランダムに選んだ組み合わせで製品のレビューを書いてみます。たとえば、悪い評価をしたユーザーの「仕組みを理解しやすくする」に関連したレビューといった具合です。最後に、参加者でさまざまなステークホルダーの体験について話し合い、彼らの意見を製品の改善に生かすことを考えます。

05 プロヴォカタイプ（悪のプロトタイプ）

自らの製品の、できる限り非倫理的で無責任なバージョンを考えてみます。クリエイティビティとユーモアの精神を込めながらも、真剣に製品化できるものを考えるのです。

参加者は、ここで考え出された製品がなぜ非倫理的なのか、元の製品のどの部分に触発されたのか、そして最後に、元の製品が実際に非倫理的バージョンに発展してしまう可能性がある

ワークショップに含まれる7つの演習

01. Your Solution あなたのソリューション	ワークショップ対象について参加者全員で概要を理解する演習 ・議論するソリューションやサービスの概要を言語化する
02. The compass and knowledge cards コンパスと知識カード	コンパスの問いやケーススタディから学ぶ演習 ・デジタルエシックスで議論すべき具体的観点を事例から学ぶ
03. 20 questions from the ethics professor 倫理学教授からの20の質問	エシックス(倫理)議論に慣れるための演習 ・エシックスにまつわる質問カードを引いて議論を練習する
04. New perspective 新たな視点	自分たちのソリューションやサービスの影響を考える演習 ・良い評価、悪い評価それぞれ仮想レビューを書き影響を議論
05. Provocatype プロヴォカタイプ	邪悪なプロトタイプを作り創造的に改善点を探る演習 ・あえて邪悪で悪質なプロトタイプを作り倫理的課題を探る
06. Worrystorm 心配の嵐	これまでのワークショップからリスクを抽出する演習 ・ジレンマや与える影響など大小さまざまな心配事を書き出す
07. Diagnosis & Action 診断とアクション	洗い出された倫理的課題から改善案を考える演習 ・より重要度高い課題を定めアクションと責任者を決める

出所：Danish Design Center「Toolkit:The Digital Ethics Compass (ddc.dk)」を参考に作成

かどうか、一緒に考えます。

06 心配の嵐

ここまでの演習で、これまで考えてこなかった倫理的課題を意識するようになり、多くの懸念が渦巻いているはずです。参加者全員が懸念を書き出し、分類して次の演習に備えます。

07 診断とアクション

いよいよ最後の演習です。ワークショップで学んだことを具体的な行動に移す段階です。06の演習で挙げられた懸念の中から最も重要なものを選び、コンパスの22の質問から、その懸念に関連するものを見つけます。そしてその質問の知識カードを基に、明らかになった倫理的課題を解決するための具体的な行動について、アイデアを出し合います。

アイデアが出尽くしたら、それらのアイデアを具現化するためのアクションを話し合い、出来上がったアクションシートを持ち帰り、壁に貼ります。

以上、デジタルエシックスワークショップの内容を見てきましたが、このワークショップは、倫理的思考を体感し、課題を解決する行動に移すまでをカバーしているのみならず、参加者の間にデジタルエシックスに関する〝コモンセンス〟を植え付け、製品やビジネスについて倫理的に検討する基盤を作ってくれるものになっています。言い換えれば、エシカルシンキングを身に付ける場なのです。

デジタルエシックスコンパス開発の背景

◎2050年の世界の予測から始まったデジタルエシックスコンパス開発

デンマークの半官半民組織であるデンマークデザインセンター（ＤＤＣ）が、デジタルエシックスコンパスをインターネット上でリリースしたのは２０２１年末のことです。開発は２０２０年の夏に始まり、２０２１年12月にリリースするまで1年半の時間をかけています。開発に際しては、デンマークのデジタルストラテジストであるピーター・スヴァールさんやデンマークの主要企業で作る経済団体「ＤＩ（Dansk Industri）」のほか、金融業界、ヘルスケア業界、デザイン業界などさまざまな業界の企業も協力をしました。

開発は２０２０年の夏に始まったとはいえ、デジタルエシックスについてのツールを作るという構想の発端は、２０１８年にさかのぼるといいます。

この年、イギリスのデータ分析会社ケンブリッジ・アナリティカが、フェイスブックの利用者情報を基にアメリカ大統領選挙などで世論誘導を行っていた疑いが明るみに出ました。デジタルエシックスコンパスの開発に携わったＤＤＣのクリスティーナ・メランダーさん（デジタル化部門ディレクター）は、これを「20年にわたるデジタル技術への楽観論が覆ることになった、歴史的な節目だった」と振り返ります。

「それまで私たちは、新たなデジタル技術が出てくると興奮してきたわけですが、我々は本当に新たな技術が何をもたらすかを理解できているのだろうか、理解する能力が追い付いていないのではないか、と問わざるを得なくなったのです」

ＤＤＣがデジタルエシックスコンパス開発に動き出す具体的なきっかけとなったのは、２０２０年６月に行われたワークショップでした。ＤＤＣはスタッフ40人ほどのそれほど大きくはない組織ですが、デンマークの代表的な企業、経済団体、業界団体、デザイナーらをつなぐ〝ハブ〟としても機能しています。そこで行われるディスカッションは、参加者それぞれが所属する企業や組織での短期的な目標達成という視点を離れ、起こり得る未来についてアイデアを共有したり、イノベーションのアイデアとしてそれぞれの企業や組織で生かすためでもあります。

ＤＤＣは２０２０年に組織としての戦略を変更し、取り扱う分野を「グリーン移行」「デジタル化」「社会変革」という3つに限定したのですが、これは、イノベーションを起こす必要があると考えるこうした分野に、デンマーク企業の意識を動かしていく狙いがあるためです。

２０２０年に一同が会した際、「２０５０年の世界では、デザインとは、またデザイン業界はどのような役割を果たしているか」について議論を行いました。「集権的－分散的」「市場中心－社会中心」という２つの軸に沿って、４つの組み合わせを作り、それぞれのシナリオに沿った未来を描くというエクササイズでした。

このとき、４つのシナリオに基づいた未来はかなり異なった様相を呈していましたが、一つだけ、全てのシナリオに共通していたことがあったといいます。それが、「倫理」でした。参加者は、２０５０年の世界では、デジタルエシックスがかなり重要な問題となり、デジタル製品を扱うデザイナーたちは、エシックスを実装させていく立場になっているだろうと予測しました。このときのディスカッションが一つの転機となって生まれたのが、デジタルエシックスコンパスだったのです。

実は、デジタルエシックスについてのツール開発が始まった当初は、デジタル製品のデザイナーたちがより倫理的な観点で商品開発などを行えるよう、自主点検に使えるチェックリストのような形式にすることを考えていたそうです。ところが次第に、チェックリストの問題に気付くようになったといいます。メランダーさんはこれについて、次のように説明しています。

「たとえばケーキのように、好ましい完成形がどういうものであるか、あらかじめわかっているものであれば、チェックリストは非常に有効です。砂糖は買った？　小麦粉は？という感じですね。問題は、デジタルエシックスにおける課題は、複雑で、正解がよくわからないということです。短期的にはポジティブな影響があるにしても、長期的にはわからないものもある。霧の中を進むようなものだからこそ、チェックリストではなく、コンパスの方が適していると考えました」

開発プロジェクトの初期段階から携わったブライアン・フランセンさんは、デジタルエシックスコンパスは完成形のツールではなく、エシックスにまつわる議論の起点となるべきだと考えた、と振り返ります。そうすることで、ナビゲーションシステムのように、利用者それぞれにとって最も適したものになっていくだろうと考えたそうです。

また、開発チームは、さまざまな企業が倫理的なデジタル製品を作る上で使える、シンプルで実践的なツールとすることにも注力しました。特に重視したのが、そこで使われる「言葉」だったといいます。何となく倫理的な違和感を感じることがあっても、議論になりづらいのは、そこに言葉が欠けていることがあると考えたためです。また、ＤＤＣのプロジェクトは、全て外部に広く公開することが前提になっているため、一部の専門家だけでなく、またどんな業界の人にも、デジタルエシックスにまつわる議論に参加してもらうことを重視したためでもありました。

デジタルエシックスコンパスは、最初はデンマーク語で作成されましたが、英語版も作成し、海外からも利用できるようにすることを考えました。このため、質問を作成する際には、北欧だけでなく、異なる文化にも通用するものか、また、さまざまな業界や組織にもフィットするものかどうかを繰り返し検討したといいます。

デジタルエシックスへの注目

実際、リリース後、特に反応が大きかったのは、海外の企業や政府からだったそうです。リリース翌々年の2023年には、ChatGPTをはじめとする生成AIが急速に広がっていったことで、この技術がもたらす影響への懸念が急速に広まり、デジタルエシックスコンパスに関心が集まることになりました。注目すべきは、このときすでにDDCがデジタルエシックスコンパスというツールを持っていたという先見性でしょう。

ケンブリッジ・アナリティカの問題は、デンマークとは特に関係がなかったわけですが、DDCは敏感に反応し、デジタル社会の今後にとってかなり重要な点になると捉えました。これは、起こり得る未来のシナリオを描くというエクササイズを頻繁に行い、次にどんなステップを取るべきかにアンテナを張っていることに関係するように思います。当然ながら、こうした場の議論では、デンマーク一国にとどまらず、世界で起きていること全体への目配りが欠かせません。時代の流れを読み、経営者や政策立案者が次にどういった行動を取るべきかを考えさせるトレーニングはDDCが強みとするところで、海外の企業や行政機関、国際組織からの依頼がひっきりなしに来るといいます。

デジタルエシックスについてよく聞かれることの一つは、「エシックスに目配りをすることは、企業にとって足かせになるものではないか?」という疑問です。これについては、デジタルエシックスコンパス開発時にDDCのCEOであったクリスチャン・ベイソンさんが本書のメッセージ(第7章末)でも語っているように、DDCでは、こうした考え方は短期的な見方で、むしろエシックスは将来的には競争力になると捉えています。

デンマークのデザインエージェンシー、コントラプンクト（Kontrapunkt）のエグゼクティブクリエイティブディレクターを務めるフィリップ・リネマンさんも、「エシックスは、将来的には、テクノロジーそのものよりも重要になるだろう」と語ります。

コントラプンクトは、世界で最もサステナブルなエネルギー企業に何度も選ばれているデンマークのオーステッドが、再生可能エネルギー事業に専念するため、石油・ガス事業を売却した際、企業名の変更を含めた抜本的なブランディングを担った会社です。オーステッドが国連気候変動枠組条約第27回締約国会議（COP27）開催に合わせて、ニューヨークタイムズ紙に「諦めろ。旧態依然のビジネスを」という全面広告を打った際にも、コントラプンクトが協力していました。

リネマンさんは「自社の利益のみを考える企業は、今後、社会やマーケットからますます遠ざけられるだろう。ベストな人材は、利益を生むこと以上のことを求めており、こうした企業から去っていく。影響はすぐには見えないかもしれないが、徐々にビジネスは劣化していくだろう」と予測します。

◎人間中心のアプローチを超えて

前述したフランセンさんは、デジタルエシックスコンパス作成に携わった企業やデザイナー、経営者らとの議論の中で、何がその重心となる「錨」になるかを考えたと言います。そこで中心に置かれるのは、技術や製品ではなく「人間」としたナビゲーションシステムとすることになりました。実際、デジタルエシックスコンパスの中心には「人間を中心に置くこと」と明記してあります。

デンマークでは2000年代に入ってから、「意匠」という意味を超えた、製品を作るプロセスそのものに関わるものへと、デザインの概念を広げるようになりました。その際のデザインプロセスは、「人間中心（human-centered）」というアプローチです。メランダーさんは、それを「デンマークデザインのＤＮＡ」とも呼び、人間のニーズから始まるアプローチであると説明します。

「自動車を普及させたヘンリー・フォードが、もし顧客に何が欲しいと尋ねれば、『もっと速い馬』と答えていただろうと語ったように、人間の本当のニーズというのは、さまざまなツールも使いながら深く探る必要があります。そうした言葉にはできないニーズも含めて、人々が本当に欲しいものは何かを探ることを目的とするのが人間中心のアプローチで、問題の本質を理解し、『正しい質問をする』ことを重視しています」

デンマークでは、この人間中心のアプローチを、ビジネスだけでなく公共政策の分野でも取り入れてきました。たとえば、デンマーク北部の自治体で、高齢者向けの食事配達サービスを展開したものの、食べる人が少なく、お年寄りが痩せていくという問題がありました。

このとき、食事の味がまず疑われたのですが、お年寄りに話を聞いていくうちに、多くの人が配偶者を亡くし、一人で食事をするのがつらいということ、加えて、食事を運んでくるトラックが自分の家の前に止まるのが、高齢の女性にとっては恥ずかしいのだということがわかってきました。

こうして問題の本質を理解したことで、食事配達サービスをリブランディングし、改善につながったそうです。食べない＝味が良くないから、という単純な問題ではないことを捉えたのは、「正しい質問をすることで、お年寄りのニーズを捉えることができたため」だとメランダーさんは説明します。

最近では、デンマークではこうした「人間中心のアプローチ」からさらに進んで、地球全体に目配りをしたアプローチにすべきではないかと、認識が変わってきています。国連が掲げるSDGsのような、国際社会が解決すべき共通の課題こそ、最もイノベーションが起きるべき領域であるとし、ベイソンさんは「人間だけでなく、地球上の生物や自然を視野に入れたイノベーションこそ、我々がフォーカスしている大きな目標だ」と語っています。

第4章

デンマークにおけるデジタルエシックスの実践

Invitation to Digital Ethics

デンマーク企業におけるデジタルエシックス

KMD
「信頼できるAI」に向けて、経験と洞察を重ねて方針を策定する

AIの利用におけるエシックス

KMD*はデンマークで最大級のIT企業の一つです。もともとは地方自治体連合によって設立され、50年以上にわたって自治体や政府のデジタル化をサポートしてきました。第3章で紹介したborger.dk、NemKonto、NemID、e-Boks、Sundhed.dkなども、KMDによって開発され、今も運営されています。2009年に民営化されて以降は、政府や自治体だけでなく、国内外の企業にもITソリューションを提供しています。

公共のデジタルインフラを支えてきたKMDにとって、デジタルエシックスは業務の前提となるものです。それはKMDが今後の提供へ向けて取り組みを進めるAIにおいても同じで、

「信頼できるＡＩ」を開発・提供しています。

同社インターナショナルデジタライゼーションオフィサー（ＩＤＯ）であるハンス・ジャヤティッサさんが、ＡＩの利用例として挙げるのが、デンマーク技術安全局のために開発したソリューションです。技術安全局は、デンマーク市場に出回る製品の安全性に責任を負う行政機関です。安全でない製品、たとえば毒性のある口紅や、子どもが飲み込んで喉に詰まらせてしまうおもちゃといったものを確認すると、それらの製品がデンマーク市場で販売されないようにすることが、彼らの責任です。ＫＭＤは、このような危険な商品を販売しているオンラインショップを探し出すソリューションを開発しました。

「私たちのソリューションが導入されるまでは、たとえばこの口紅をデンマーク市場で売ってはいけないと決まったら、学生チームでインターネットを検索して販売しているショップを特定していました。そして、その製品を販売する世界中のショップに、この商品はデンマーク向けに出荷することは禁止されていると通知していたのです。技術安全局の推定では、特定できたのは販売しているウェブショップの10％程度だそうです。そこで私たちは、インターネットを検索し、危険な製品を見つけ、その製品を販売しているウェブページやウェブショップをリストアップする、画像・テキスト認識サービスを開発しました」

＊ https://www.kmd.net/

このソリューションによって、現在では販売するウェブショップの60％から70％を捕捉できるようになったと技術安全局は推定しています。大きな成果を上げたため、今ではＥＵのすべての国がこのソリューションを使っているとのことです。

このソリューションは、倫理的な問題を起こさないことを考慮して開発されています。

「倫理的な観点から見ると、まず、ユーザーの行動を追跡するといった方法ではなく、公開データだけを検索していることが挙げられます。インターネットを検索しているのですから、プライバシーに関わる問題は発生しません。偽陽性、つまり紹介記事など、販売はしていないページをウェブショップと検出してしまうこともありますが、通知を担当する人が見れば簡単に判別できますので、倫理的な問題は起こりません。逆に偽陰性、つまり見落としは問題ですが、人手で検索していたときよりも見落としは大幅に減っています。完璧ではありませんが、より良い結果を得られるのです」

もう一つ、ジャヤティッサさんが例として挙げたのが、「ケースインサイト」です。その名のとおり、過去の事例から洞察を得るためのＡＩソリューションで、消費者、企業、行政機関の間に生じた紛争解決を支援する政府の独立機関・不服審査委員会のために開発したものです。

不服審査の請求があれば、委員会のケースワーカーは、過去の類似事例を調べて解決に当たりますが、類似事例を見つけるのは大変複雑で時間のかかる作業になります。そこでＫＭＤは、自然言語処理に基づく高度な検索エンジンで、最も類似している事例を10件見つけ出すソリューションを開発したのです。このソリューションを利用することで、それまで平均14日間かかっていたケース処理を1時間で終わらせられた場合もあります。

ジャヤティッサさんは、このソリューションは、ケースワーカーがどんな判断を下すべきか、AIが人間に解決のためのアイデアを与えてくれるものだとします。

「私たちはAIを使うときに、AIが意思決定をしてはいけないという点を非常に重視しています。AIは意思決定をサポートするためのもので、意思決定は常に人間が行うべきです。その上で、どのようにすれば、人間を最善の方法でサポートできるかを見いだす必要があるのです」

バイアスへの対処と説明可能なAIへの取り組み

この2つのソリューション開発を経て、KMDではAIの2つの課題の解決に注力しています。AIによるバイアスと、AIの〝思考過程〟がブラックボックスになってしまう点です。

AIは過去のデータに基づいて学習を行うため、データそのものにバイアスがかかっていれば、AIもそれを反映したものになってしまいます。特に大きな問題は、人種や性別、宗教の違いなど、基本的人権に関わるバイアスです。

「私たちのシステムは、古いバイアスを再現してはならないのです。公平なものを作るべきです。それには、データにはどんなバイアスがあり得るのか、理論的に検証することが必要です。

全てのバイアスを捕捉することはできないかもしれませんが、ツールを使って、データにおかしな点がないか、調べることはできます。また、用途によってどんなデータが必要なのか、議論しなければなりません。たとえば、建築確認の申請なら、申請者の年齢や性別は関係しないので、それらを学習データから取り除くことでバイアスを避けられます」

バイアスを解消するもう一つの方法が、合成データを学習に利用することです。合成データとは、統計的に似た特徴や傾向を持つように、実際のデータに変更を加えたデータです。たとえば、元のデータは女性の方が数が少なければ、女性の特徴や傾向を持つデータを追加して男女のデータが均等になるように学習させるといった方法です。合成データの作成には、データの相関関係や、ＡＩについての深い理解が必要になります。

合成データは、プライバシーの保護にも役立てることができます。

「私がいつも例に挙げるのは、三つ子を産んだ母親がいるとして、医療記録から名前や住所、生年月日等の個人情報を削除しても、子どもたちの誕生日がわかれば、その母親が誰かを特定することができるということです。その日に三つ子を産む母親は何人もいないからです。それなら子どもの誕生日を別の日にしたり、子どもの一人を別の母親の子どもに変えたデータを作れば、個人を特定することはできなくなります。そうして作った合成データでも、求める内容によっては、傾向やパターンを見いだすことはできます」

ブラックボックス化に対しては、ＫＭＤは説明可能なＡＩの研究に非常に力を入れています。

現在主流となっている機械学習を利用したＡＩでは、ＡＩは結果としての確率を示してくれるだけで、その理由は示してくれません。人間は結果を信じるしかありません。因果関係やパターン等、人間に理解できる理由を示してくれるＡＩはＸＡＩ（Explainable AI）とも呼ばれ、世界中で開発が進められています。

規制に先んじてポリシーを定めガバナンスを実行する

ＫＭＤはデンマークの法律に基づいてデータ倫理のポリシーを策定しています。また、ＥＵのＡＩ規則を巡る議論にも参加し、対応も準備しています。しかし、デジタルエシックスへの取り組みは、より自発的な理由に基づくものです。ジャヤティッサさんはこう説明します。

「私たちは今でもデンマーク社会でかなり重要な位置を占めています。生まれてから亡くなるまで、デンマーク市民は常にＫＭＤのシステムとつながっています。だからこそ、私たちはＡＩについて語るとき、あるいはＡＩの使用を推奨するとき、それが最善の状態であることを確認する必要があるのです」

そして、ＡＩに関して次の方針を定めています。

・ＫＭＤは、ＡＩ開発において、技術的な堅牢性と安全性を優先するとともに、プライバシー、透明性、多様性、差別のないこと、公平性、環境と社会の幸福、説明責任を優先し続けるべ

KMD IDOのハンス・ジャヤティッサさん

きである。

・ＫＭＤは、自社のＡＩシステムが偏ったものでなく、プライバシーを侵害せず、その分野の専門家に説明可能なものであることを保証し続けるべきである。データを匿名化し、バイアスを取り除くために合成データを使用し、ＡＩを使用する前に確認すべきことのチェックリストを持つべきである。

・ＫＭＤは、ＡＩに関するＥＵの次期規則に備え、全てのＡＩシステムを高リスクに分類している。ＫＭＤは、ＥＵ規則に備え、技術動向を追いかけ、実験を行い、企業レベルでの意見の表明を徹底していくべきである。

・ＫＭＤは、ＥＵ委員会のＡＩに関するハイレベル専門家集団に意見を提供し続け、信頼できるＡＩのための標準に取り組むべきである。

この方針にもあるように、ＥＵのＡＩ規則の草案を見て、ＫＭＤでは全てのＡＩシステムをハイリスクに分類しました。

「法律やＧＤＰＲなど、すでに多くの規制はあるのです。ＫＭＤのように規制に慣れている企業にとっては、ＥＵがどう言おうと、ＡＩの使用は全てハイリスクであるとする方がずっと簡単なのです。私たちはＡＩに関する検討に基づいて、データ倫理のポリシーを作成しました。データおよび倫理ガバナンスのフレームワークでは、ＧＤＰＲに準拠するために必要なプライバシー影響評価をすでに用意しています。さらにＡＩのガバナンスのために、データのガバナンスや合成データのためのツールに加え、設計者や開発者のトレーニングも行っています」

ＡＩ時代を迎えても、エシックスはＫＭＤの重要なポリシーであり続けるのです。

エメント (Emento)

独自のデータ原則で患者と医療の信頼をサポート

患者と病院のコミュニケーションを改善する

エメント*は、2016年に創業したスタートアップ企業で、病院・医療従事者と患者とのコミュニケーションをサポートする「マイデジタルケアガイド」サービスを提供しています。スマートフォンアプリを利用したもので、デンマークの病院の23%が利用しており、ドイツでの展開も始めています。

共同創設者でクリエイティブディレクターを務めるミッケル・ベックさんは、このサービスを開発した発端は、病院からの入院案内に感じた疑問だったと説明します。

「三十数ページにわたって細かく内容が書かれていました。1行目には入院日が書かれていたのですが、その後の4行は、いきなり内容が理解できませんでした。そして、『手術の6時間前から食事を控えること』という最も重要な内容が書かれているのは25ページ目だったのです。『食事』の意味も説明されていませんでした。水は飲んでもいいのか、牛乳は？　実は水やミルク抜きのコーヒーは飲んでもよかったのですが、誤解して水分を取らない人もいて、そういう人は病院に着いたときにはすっかり元気をなくしています。ふだん服用している薬を飲んでよいのかどうかも、この書類の説明ではよくわかりません。これでは患者と病院が信頼関係を築くことはできません。患者は非常に混乱した状態で病院にやってきます。その結果、準備が整っていないとして手術をキャンセルされる場合も多いのです」

デンマークをはじめ、ヨーロッパの多くの国では、医療のデジタル化が進行しています。しかし、入院案内に関しては、紙で送られていた書類がメールに添付されたファイルに変わるだけで、その内容に変更はありませんでした。実はベックさんはオーフス大学病院の病院長から、もっと良い入院案内を作ってほしいと相談を受けていました。

先に挙げた入院案内はその検討のためのダミーだったのですが、問題は明らかでした。ベックさんはゼロからプロジェクトを立ち上げ、ペイシェントジャーニー（患者が病気にかかってから診断・治療を進めるプロセス）は本当はどんなものなのか、そして患者が良い体験をするためには何が必要なのかを考え始めました。

こうして、コンピュータサイエンスやデザイン、ビジネスの専門家に加え、医師、看護師、理学療法士などの医療従事者も加えたチームでエメントはスタートしました。

＊ https://www.emento.dk/en-us/

患者中心のケアを実現するアプリ

ヘルスケアでは、人間中心、患者中心のケアをしなければならないという考え方が提唱されていますが、デジタルの力でそれを実現するにはどうすればよいのでしょうか。入院案内という書類の形でコミュニケーションを取るのが本当に良い方法なのかというところから検討を始めました。

エメントのメンバーは、病院で医師や患者からのヒアリングや観察を重ね、許可を得て患者の〝尾行〟もしました。そして、患者が医師の説明や指示を理解できていないケースが多いことに気付きます。

「ところが、理解できなかった患者に、医師の説明の録画を見てもらうと、その内容を理解できたのです。患者は、対面での説明よりも動画での説明の方を好んだのです。医師と向き合うと、わからないことがあっても聞き返すのは恥ずかしいという人もいますが、動画なら繰り返し何度でも見ることができるからです」

こうして、医師や看護師、医療関連の技師からの説明や指示を、患者に動画で届けるサービスの構想が出来上がります。

そこでもう一つ重要なのは、動画を届けるタイミングでした。デンマークでは無料で公的医療を受けられますが、緊急性が低いと判断されれば、治療の終了までに長い期間かかることもあります。手術を受けられるのは診察から何カ月も後だったり、入院案内の受け取りから入院までに長い間隔が空いてしまうことも少なくありません。そこで、診察から手術などの治療までの間はもちろん、治療後も、必要な情報を適切なタイミングで患者に送ることを考えました。

さらに、開発を進める中で、ペイシェントジャーニー全体を通して、患者と医療従事者が緊密なコラボレーションを行えるようにすることが重要だと気付き、テキストメッセージや写真で患者が質問を送ったり返事を受けられるようにしました。

こうして何度もプロトタイプを作り、テストを重ねてサービスを作り上げていったのです。

「私たちのソリューションは、患者さん一人一人に、必要な情報を完璧なタイミングでわかりやすく伝えて治癒へ導くことができます。入院時に持っていくものも教えてくれますし、食事を控える時間になったことも思い出させてくれます。手術後、痛みが出たらどの薬を飲んだらよいのか、体の動作や生活の質にはどんな影響が考えられるのかを伝え、退院後のリハビリをサポートすることもできます」

つまり、エメントが提供しているのは、治療の始まりから完了までをガイドしてくれるタイムラインのようなものなのです。患者が受け取る情報のほとんどは動画で、病院のスタッフが作成しています。そのため、エメントは、病院のスタッフ向けにワークショップのキットを提供しています。ペイシェントジャーニーについて考えてもらい、治療内容ごとの説明・指示の動画や情報提供のテンプレートの作り方を知ってもらうのです。これらを作れば、治療内容に合わせて患者へのメッセージを自動で送れるようになります。

「入院するときには、入院手続きや注意事項を動画で話してくれた看護師が出迎えてくれ、治療内容について説明してくれた医師が実際に治療に当たってくれるのです。それによって患者は病院と信頼関係を築くことができます。私たち市民にとって、自分の健康を管理する場所を本当に信頼できるようにすることは、ますます重要になっていくでしょう」とベックさんは強調します。

エシックスはエメントのＤＮＡ

医療のデジタル化、それも患者とのコミュニケーションが対象となると、エシックスを考慮することは避けては通れません。

ヨーロッパでは個人データの保護や取り扱いについて定めたＧＤＰＲが２０１８年から施行されていますが、デンマークでは２０２１年から大企業は年次報告書にデータエシックス方針を記載することが法律で義務付けられ、記載しない場合はその理由を説明しなければならないと定められました。現在では33％の企業が実際に方針を決めています。

エメントは、創業間もない段階から、日本ではまだ珍しいＤＰＯ（Data Protection Officer：データ保護責任者）を置いて、データエシックスを考慮した開発・運用を続けています。そのときからＤＰＯを務めているリン・サリンさんは自分の職務をこう説明します。

「私はデータエシックスに責任を負っています。つまり、データ保護に関する助言と指導を行い、規則の遵守を監視しています。とはいっても、毎日、実際にしていることはメンバーとの対話がほとんどです。社内の誰かが、これはエシックス的に、あるいはコンプライアンス的に正しいことかどうかわからないと思ったら、私のところに相談に来ます。私は疑問には答えず質問を返して対話をしていくのですが、それがマインドセットを育てることになります。社内で日常的に対話をしていく中で、エシックスに対する認識を深めているのです」

エメントでは、調査と開発を続けていく中で、独自にデータに関する５つの原則を決めています。

1　人間中心。私たちのソリューションのメリットは、何よりもまず患者さんと臨床医のためにあるべき。
2　できるだけ多くのデータのコントロール権を個人に与える。
3　透明性。私たちはいかなるデータも所有しない。患者のデータは患者のものであり、医療機関のデータは医療機関のもの。データを何かに使う場合は許可を得ないといけない。
4　公平性。ただし、より平等な医療を提供するためには、一様ではないコミュニケーションを取らなければならない。知識を持った患者が、知識がなく治療の必要性が高い人よりも、手厚い治療を受けている例もある。医療機関と患者さんとのコミュニケーションをサポートして状況を変える機会がある。

エメント共同創設者のミッケル・ベックさん（右）とDPOのリン・サリンさん

５　ソリューションが人間を操作して望ましくない行動を取らせてはいけない。これが一番重要な原則。

お気付きのように、５つの原則は、デジタルエシックスコンパスとてもよく似ています。実際、エメントは、２０２０年にデンマークデザインセンターから、デジタルエシックスコンパスの作成とテストに参加してほしいと声を掛けられています。

「話してみると、デジタルエシックスコンパスに盛り込みたい内容は、私たちが何年もかけて取り組んできたことだったことがわかり、私たちがそれを利用する必要はないと意見が一致しました。むしろ、私たちのやってきたことが彼らのインスピレーションになった部分もあります」と、ミッケルさんは話してくれました。

サリンさんは、企業におけるエシックスの位置付けを根本から考える必要があると言います。

「エシックスはケーキの上の飾りに過ぎないという考えから脱却する必要があると思います。ブランディングのためのツール――私はそれをコンプライアンスウォッシングと呼んでいますが――ではないのです。私たちは、エシックスをエメントのＤＮＡとして捉えています。倫理によって、より私たちの価値観に基づいたアプローチに取り組めるようになりました。つまり、全ての社員が、自分たちが患者と医療の間の信頼を高め、価値を創造していると認識できるようになるのです。それが、医療機関、ユーザー、社員、パートナー企業、投資家、そして社会全体への信頼を生み出します」

デンマークでは、半数の企業が「顧客は、企業が倫理をどのように扱うかに関心を持っている」と考えています（デンマーク商務庁、２０２０年調査）。エシックスはすでに、ケーキの上の飾りではなくなりつつあり、エメントはその先頭に立っている企業の一社なのです。

ハウディ（Howdy）

デジタルエシックスコンパスで倫理の共通言語を獲得する

●メンタルヘルスへの新たな対応策

職場でのストレスやメンタルヘルスは、多くの国で問題になっています。デンマークのコペンハーゲンに本拠を置くハウディ*は、データに基づいた洞察を提供することで、企業と従業員のメンタルヘルスを向上させるサービスを提供しています。共同創業者でCEOであるラスムス・ハートゥングさんが、心理測定を専門にする北シェラン精神医療センターのペア・ベック（Per Bech）教授に会い、メンタルヘルス悪化に対する予防法について、パラダイムシフトと呼べる考え方を教えてもらったのが起業の端緒になりました。

通常、メンタルヘルス対策では、本人あるいは周囲の誰かが不調に気付いて初めて、カウンセリングを受けたり専門医を受診したりします。しかし、メンタルヘルスの不調に対しては、ちょっとした問題が大きなストレスに発展する前に専門家が介入することで大きな予防効果を上げられるということを、ハートゥングさんはベックさんから学びました。ベックさんらは、メンタル状態を測定する質問票も考案しており、それは「WHO－5 精神的健康状態表」として国際的に使用されています。

そこで、ハートゥングさんらは、日常的な測定と早期介入を行えるサービスの開発を始めたのです。測定や結果を表示するアプリを開発し、メンタル状態の悪化の兆候が見られた人に経験豊富な心理学者（心理士）がコンタクトするレスポンスセンターを設置しました。

こうして2014年から「ハウディ・ウェルビーイング」を、B2Bのサービスとして提供開始しました。このサービスに参加した従業員（ユーザー）には、アプリを通して、通常2週間に1回、メンタル状態を問いかける質問票を送ります。この質問票は、先述の「WHO－5精神的健康状態表」に準拠したものです。回答はハウディが開発したアルゴリズムで処理され、メンタル状態が「良好」「注意」「危険」の3段階で表示されます。もし、リスクのある状態なら、2日以内にレスポンスチームが電話で直接、ユーザーにコンタクトします（「良好」「注意」の場合でも、自主的にコンタクトを依頼できます）。電話では、抱えている問題や対処の可能性についてコーチングし、必要な場合には専門医を紹介します。また、契約した企業には、毎月、会社全体のほか、部門、事業所別などのメンタル状態の指標のレポートが送られてきます。これによって、企業も社内の状態を把握し、適切な対応を取れるようになるのです。

現在、約100社・組織がハウディのサービスを利用しており、ユーザーは約4万人に上ります。契約しているのは主に北欧諸国の企業ですが、その現地法人の従業員として、日本やア

＊ https://howdy.care/

ジア太平洋地域にもユーザーがいるため、レスポンスチームは14～15の言語をカバーしています。

開始からおよそ10年を経て、ハートゥングさんは、その成果を実感していると言います。「早期介入が有効であることは科学的にも証明されていますし、私たちも、それを何度も確認してきました。心理学者と15分間、会話をするだけでも、大きな違いを生み出すことができるのです。ただし、本人が相談してくるのを待っていてはいけません。潜在的な問題が大きくなる前に対処することで、職場のメンタルヘルスを向上させ、世界中の多くの組織で病気休暇を減らすことができました。顧客の中には、5年間、一人の病気休暇者も出さなかった企業もあります。私たちは、このソリューションが皆様のお役に立てると信じています」

膨大な倫理的ジレンマと向き合う

一方で、個人の精神状態を取り扱うだけに、ユーザー、企業・組織、マネジャーそれぞれにどんな情報を開示してよいのか？　デジタルと人間の役割分担は？　データはどう取り扱うのか？等々と、サービスの開発では多くの倫理的課題に直面しました。

「そこには膨大な倫理的ジレンマがありました。ハウディにとって、デジタル環境における倫理についての議論は非常に重要だと思います」と、ハートゥングさんも認めます。

サービス開発の過程では、検討を重ね、契約した企業・組織の従業員がサービスに参加する・

しないは本人の自由とすること、検査の結果は共有しないこと、検査票のスクリーニングは可能な限りデジタル化して、それでは対応できなくなったときに心理学者との人間的なコンタクトを提供するといった方針を決めていきました。

収集したデータを顧客である企業・組織と共有する際には、匿名化し、統計処理を加えています。デンマーク労働環境局の勧告に従い、企業に送るレポートは、５人以上の従業員が測定に参加した部門についてのみ作成され、また、10人以上の部門でなければ評価の理由は表示されません。これは、少人数の部門では匿名化しても個人が特定されてしまう危険性があるためです。

また、ハウディ自身がデータ管理者になりました。Ｂ２Ｂのサービスでは、顧客である企業がデータ管理者となる場合が多いのですが、そうすると企業がデータを読み出したり、従業員が望まない形で利用できるようになってしまうためです。ユーザー個人の情報を守るために、ハウディが自らデータ管理者となり、データを保護することをユーザーに約束したのです。

デジタルエシックスコンパスを日常のツールに

ハウディは、現在では、倫理的課題を検討するツールとしてデジタルエシックスコンパスを採り入れています。ハートゥングさんがデジタルエシックスコンパスを知ったのは２０２１年のことです。

「私たちは、それまでも倫理的な判断をしてきましたが、正しい決断を下すのが難しいこともありました。デジタルエシックスコンパスを知り、それを製品開発の過程に加えることは非常に有益だと考えました」

そこで、デジタルエシックスコンパスの開発に協力したデザインエージェンシーである１５０８のファシリテーションで、ワークショップを開きました。このワークショップには、開発やＵＸ部門だけではなく、マネジメント、営業、ユーザーサポートの各部門、主任心理学者と、ハウディのサービスに関わるあらゆる分野のメンバーが参加しました。

丸２日間にわたるワークショップでは、ハウディが直面していた具体的ないくつかの問題について考察をしました。

ワークショップ後もハウディでは、課題が発生したときには社内でワークショップを開いて検討を加え、製品開発の際にはデジタルエシックスコンパスの22の質問を、倫理的ジレンマのあらゆる側面をカバーできているかを確認するために使用しています。

これまでに、デジタルエシックスコンパスを用いて検討してきた課題には、次のようなものがあります。

・全社や部門のメンタル状態をどこまで公開するか
組織のメンタル状態に対する洞察を提供すべきかどうかを検討しました。全社や部門の平均値のみを開示すべきか、「危険」の状態にある従業員の数まで開示するのか？　自分のスコアが低いことを知れば、メンタル状態がよくないユーザーをさらに悪化させる危険はないか？といった点が課題となり、「危険」状態の数は開示せず、全社および部門の平均スコアを部門メンバーだけに公開することにしました。

・ユーザーとのエンゲージメントを適切に保つ
ユーザーのエンゲージメントは成功の鍵ですが、一方でユーザーにストレスを与えかねないというジレンマについて検討しました。その結果、ユーザーにプッシュメッセージを浴びせかけるのではなく、ワンクリックで助けが得られる「ポケットの中の親友」でありたいと考え、サービス開発の際には、そのような視点を持つことにしました。

・従業員の参加・不参加の開示
人事部や経営陣に誰がハウディのサービスに参加しており、誰が参加していないかを開示すれば、より多くのユーザーがサービスを利用するように指示してくれることが期待できます。しかし、それはユーザーからの信頼を失うことにもなりかねません。検討の結果、ハウディのサービスにとってユーザーは非常に重要であるため、この情報は開示できないという結論になりました。一方、話し合いの中で、部門の統計データ等を閲覧していないマネジャーがいれば、その点は開示できるという結論を得ました。

・データの所有権

データの所有権はユーザーにあります。このパラダイムを変えるべきかを検討しました。データを販売したり、悪用したりする企業として知られたいか？という点を考えれば、初めから結論は明らかでした。デジタルエシックスコンパスを使って検討することにしたのは、「データ」「自動化」「行動デザイン」という3つの視点と22の質問を通して、データの所有権についての決定を強化、可視化するためです。その結果、ジレンマに対する視点を新たにするとともに、より豊かにすることができました。

ハートゥングさんは、ワークショップで非常に印象的な体験をしたと言います。

「私には、サービスにぜひ採り入れたいと思っていたアイデアがありました。調査票のリマインダーに過去のデータを入れたかったのです。ユーザーの意識を高めて回答意欲を高められたら素晴らしいと考えてスタッフに話したところ、ノーを突き付けられたのですが、私は説得されませんでした。ところが、ワークショップでさまざまな角度からこのプランを検討してみることで、私のアイデアは正しいやり方ではない、自分が間違っていたと気付いたのです」

この気付きは突然起こり、ハートゥングさん自身も驚いたそうです。そして、ワークショップを開くことで、その後の業務の中で日常的に生かせるツールを獲得できたことが大きな成果だと強調しました。

「ワークショップを開くことで、デジタルエシックスについて検討する際に必要なツールが手に入ったのです。メンバーが共通言語と共通の思考モデルを獲得できたことも重要です。誰かが『不必要なデータを集めていないか』『ユーザーを操作しようとしていないか』といった疑問を投げ掛ければ、何を問題だと思っているのかを全員が理解できるようになり、すぐに本質的な議論に入れるようになったのです」

デンマークにおけるデジタルエシックスワークショップ

ツールを用いてデジタルエシックスの波を起こす企業たち

デジタルエシックスコンパスは誰でも使えるものですが、実際には何に配慮し、どのように進めていけばいいのでしょうか。デンマークの先駆的な例ではどのように実践したのか、ツールの開発にも協力し、このツールを使ったワークショップを実践、普及させている企業のスト

ホロの自動運転バス　図版提供：Charlie Tango

ーリーを紹介します。

デジタルエシックスコンパスの開発には、多くの企業による協力体制がありました。デンマークデザインセンターと関わりの深い企業であるチャーリータンゴ（Charlie Tango）*も開発企業の一つです。

チャーリータンゴというユニークな企業名は、Creativity（創造性）、Technology（技術）の頭文字の通信コードから来ているそうで、その由来のとおり、デザイン思考や人間中心設計という創造的視点と、データドリブンなどテクノロジーの視点の両方を持つことを強みに持ち、公共、金融、航空など多様な業界のクライアントに向け、各社の課題をデジタルソリューションで支援する事業を行っています。彼らはデジタルエシックスコンパス開発の一部にも参加し、コンパスの22の質問やワークショップに含まれる7つの

対面形式のワークショップの様子　図版提供：Charlie Tango

演習の設計を担当、ワークショップの実施、普及にも努めています。

運転手なしでアルゴリズムにどう異常を検知、判断させるか？

デジタルエシックスコンパスを活用した例として、自動運転バスを開発するデンマークの企業、ホロ（Holo）[**]が挙げられます。

デンマークでは現在、ＩＴセキュリティやデータの責任ある使い方に関し規定を満たした企業をラベリングするD-seal[***]という仕組みが注目されるなど、デジタルサービスにおける企業と顧客の間の信頼構築が重要視されています。ホロは、自動運転バス事業を進めていくために信

＊ https://www.charlietango.dk/en
＊＊ https://www.letsholo.com/
＊＊＊ https://d-seal.eu/

頼を勝ち得ようと活動している真っ最中だったこともあり、デジタルエシックスコンパスの取り組みに参加することになりました。

ワークショップのテーマに関して、ファシリテーションを担当したチャーリー・タンゴは、何に焦点を当てるべきか、ホロのCEOと議論しました。そしてテーマとして、行動検知のアルゴリズムが挙がりました。ホロの開発する自動運転バスは、デンマーク初のドライバーレスバスです。運転手の代わりにシステムがバスの中の環境を観察し、乗客に問題ないかを判断します。乗客に心臓発作が起きたり、けんかが起きたり、何か事件が起こったりしていないか、システムがすべてキャッチできなくてはなりません。しかも、人間のベテランドライバーと同じレベルで全てに気付けなくてはならないということもポイントでした。乗客は具合が悪いのか酔っているだけなのか、問題が起きているのか少し騒いでうるさいだけなのか、こうした判断をシステムに行わせる仕組みを考えていたのです。とはいえ、大丈夫ではない状況を、システムはどう線引きするのでしょうか？　これが議論すべき課題でした。

エシックスの共通言語化がパートナー企業との契約や他の事業にまで波及

2日間のワークショップには、CEO、COO、ビジネス部門長、プロジェクトマネジャーなど、10人弱が参加しました。

最初の演習として、テーマとするデジタルソリューションやサービスがどんなものであるの

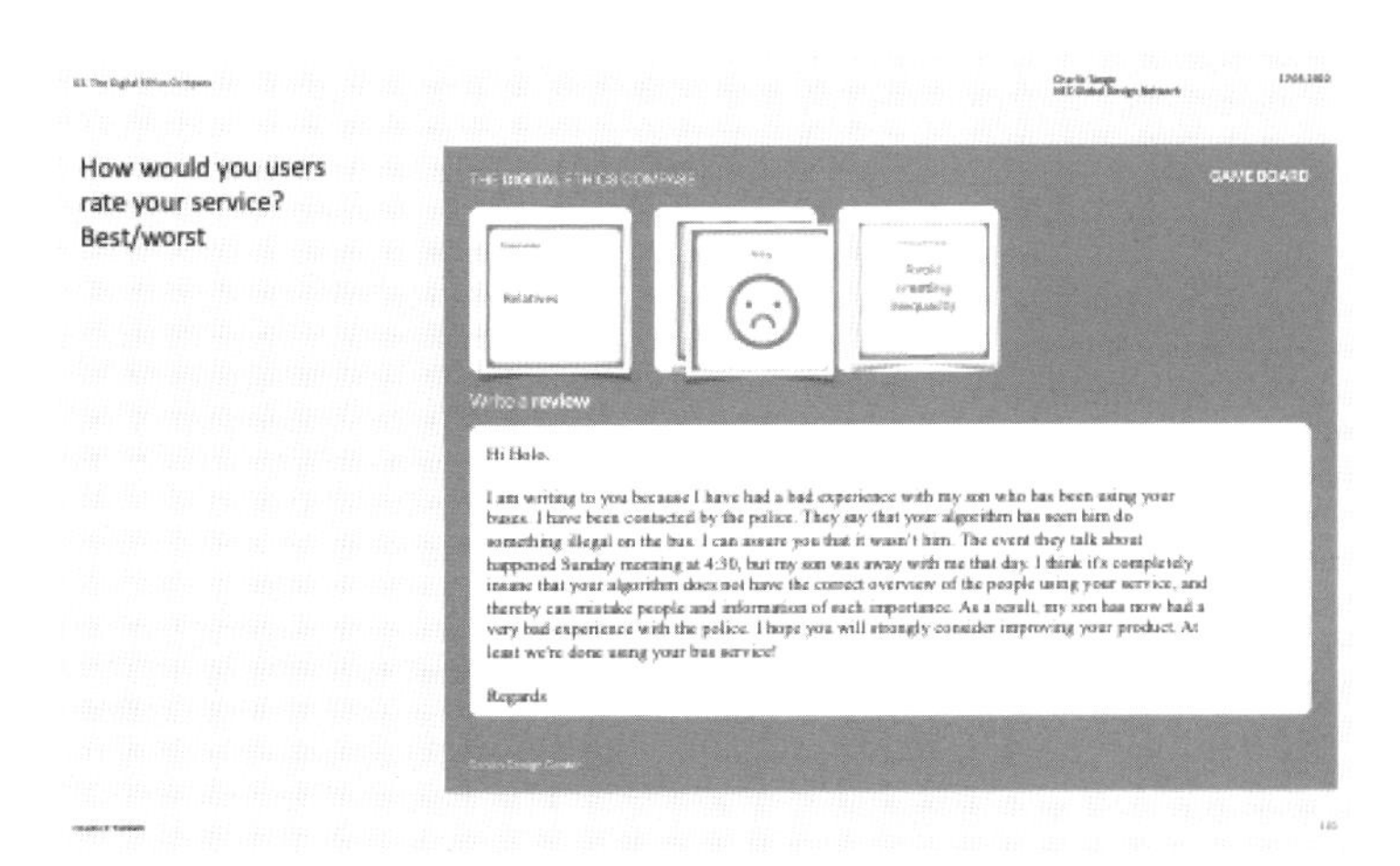

乗客の家族が悪い評価をした想定でレビューを書いたワークシート　図版提供：Charlie Tango

か、5つの文で言語化していきます。ホロの場合は行動検知のアルゴリズムについて議論したかったので、扱うソリューションについて「ビデオや音声、センサー技術を介した行動検知アルゴリズムである」など、概要、目的、手法などを文章化しました。その後、22の質問を活用したり、エシックスについての問い掛けを受けて議論をするワークが続いていきます。こうすることで、参加者は共通言語を得ながらだんだん議論に慣れていくことができるのです。チャーリータンゴによれば、エシックスについてまず自分が語り、そして他の参加者が語る内容を聞くことで、ようやく、自分が何を言ったのか、あるいは何を言いたかったのか理解できる、そうした感覚がワークショップを通じて具体化する内容よりも、ある意味で重要な成果だといいます。

ワークショップの後半では、ステークホルダーを洗い出して、想像力を発揮して自分たちのソリューションが彼らにどういう影響を及ぼすか、リスクを洗い出し、最後にはアクションプランを考えました。ホロのワークショップでは、乗客の関係者として、若い乗客のお母さんが悪い評価をする想定でレビュー内容を考えました。内容を紹介します。

私がこのレビューを書いているのは、貴社のバスを利用した息子が嫌な思いをしたからです。警察から連絡があり、バスのアルゴリズムによって息子がバス内で何か違法なことをしているのを検知したと言います。それはうちの息子ではないと断言できます。警察が話している出来事は日曜日の朝4時半とのことですが、その日は息子は私と一緒に別の場所におりました。このバスのアルゴリズムが乗客を正確に把握できておらず、こうして重大な間違いを犯し得るのは、とてもあり得ないことだと思います。息子は警察で非常につらい経験をしました。ぜひ改善を検討していただきたいと強く思います。少なくとも、私たちがこのバスを利用することはもうありません。

単純なストーリーに思うかもしれませんが、誰かが不当な扱いを受ける事態が発生して厳しい意見をいただくという、会社として避けたい事態を参加者全員でシミュレーションして共有し、今まで見落としていたソリューションのブラインドスポットがないかを議論しました。この演習では良い意見をもらったレビューも想像して書きますが、こちらもソリューションを改善する新しい機会を探るのに有効です。

ホロはワークショップを踏まえどのような成果を得たでしょうか。彼らは「システムのアルゴリズムが乗客たちの異常行動をどう認識すべきか」についてワークショップを通じて議論を進めました。ホロの例は、先ほどの仮想レビューのように乗客の誰かが不当な扱いを受けないよう平等なシステムを作りたいと思う一方、おそらく問題があるグループだと異常を検知してもそれを放置するのはまた倫理的ではないということでした。

彼らは、アルゴリズムを開発したパートナー企業との契約内容が具体的ではないという、今まで見えていなかったポイントに気付きました。アルゴリズムは常に学習して自動で改善していく機械学習を利用したものでしたが、学習段階で差別を避けるための記述がありませんでした。「アルゴリズムが学習するテストデータに、人種など特定の人々を排除する偏りがないようにする」ことを要求する項目が契約書に必要だと気付いたのです。

その後、ホロはパートナー企業との契約書を見直し、より良いコラボレーション方法を構築することができました。彼らは自動運転バスを作り運行する会社であり、アルゴリズムについてはそれを購入するクライアントという立場でしたが、そのアルゴリズムが組み込まれたシステムでバスを走らせる自分たちの責任は何なのか、そしてその責任をどのように果たすべきなのか、こうしたことをより意識するようになりました。これがワークショップのとても大きな成果です。

ホロは現在、第二の事業として病院間で検査サンプルや医療用品等を自律飛行ドローンで輸送するHealthdroneプロジェクト*も行っています。デジタルエシックスコンパスのワークショップを通じて、エシックスの共通言語で社内の主要部門が議論できる状態になったことは、自動運転バス事業だけでなく、こうした他の事業に向けて、ホロに良い影響を与え続けています。

倫理的かどうかの〇×ではなく、「デジタルについてきちんと検討する」こと

デンマークでのデジタルエシックスコンパス活用例として、ワークショップ実践例を紹介しましたが、最後に、日本での活用に向けて、ツールやワークショップの演習開発に参加し、ホロをはじめワークショップ運営もしているチャーリータンゴのラスムス・サンコ（Rasmus Sanko）さん、リア・センデロヴィッツ（Lea Senderovitz）さんにうかがったデジタルエシックスに取り組むコツを紹介します。

センデロヴィッツさんは、さまざまな領域での倫理的課題のいくつかは、デジタル技術やソリューションをどのように使っていくかについて、きちんと話せていないことと同義だと言います。エシックスを無視しているというよりは、倫理的課題や理想について、実質を伴わない形だけの議論になっているのが問題だということです。

たとえば、チャーリータンゴがデンマークの銀行のデジタルソリューション開発に携わる際

には、エシックスについて多くは語らなくとも、「人々を倫理観に反して搾取しない」という点に十分配慮することがエシックスにつながると言います。

日本では、デジタル化や先進技術の活用を進める際にデジタルエシックス、あるいはエシックスそのものについて話が及べば、「人間に悪影響を与えるリスクがあるのだから、このテクノロジーはまだ使わないでおこう」となってしまうことが少なくないように思います。デンマークでは非常に多くのことがデジタル化されていますが、サンコさんは、日本からデンマークに視察に来た方が「このようにしてしまっては、デジタルを活用したオンラインサービスが使えない人や、すでに紙でもらっているデータの管理はどうするのか？」と心配をしているのを聞いてとても驚いたそうです。

デンマークでは、デジタル化が人間中心の倫理的アプローチに反するとは考えていません。多くの場合、デジタルの活用は、排除される人を減らし、より多くの人をインクルージョンしてアクセス可能にする方法になり得ると考えています。たとえば、デンマークの政治や公共部門は非常に多くのデータを活用して動いています。それは間違いなく、誰にとってもよりアクセスしやすく、より平等にアクセスできるようにするための試みです。とはいえ、たとえば公的なソリューションを考えるときに、倫理的な配慮の一つとして、デジタル技術やその利用方法

＊https://www.letsholo.com/healthdrone

にアクセスできない人たちのことを忘れてはいけないとセンデロヴィッツさんは言います。デジタル化に少し後込みしてしまう日本企業には、参考になる話ではないでしょうか。デジタルエシックスを念頭に置いてデジタル技術の活用方法を具体的に追求していけば、デジタル化を大きく進めていくことができるといえます。

最後に、日本の読者に向けてエシックスを取り入れるタイミングはいつがよいかをうかがいました。センデロヴィッツさんの答えは、「あなたが今いるこのときが、ベストなタイミングです」でした。何事もそうですが、まず始めることが大事であり、今これを読んでいる方たちがエシックスに気付き、考えて、真剣に取り組もうとするそのときが、最も良いタイミングなのです。ぜひ、この本をきっかけにアクションを起こしましょう。

コラム

デンマークが教えてくれる3つの経験

株式会社Laere
外川綾音

デンマークは、デジタル先進国でもありながら、国連の持続可能な開発ソリューションネットワーク（SDSN）が発表している世界幸福度ランキングの上位常連国でもあります。さらに近年では「世界競争力ランキング」でも上位に位置しています。その一方、法定労働時間は週37時間で、夕方の16時台には退勤ラッシュが起きます。これだけ聞くと、デンマークが遠い理想郷に映るかもしれません。しかし、現地に何度も足を運び、人々と話をする中で感じることは、デンマークが現在の社会の姿に魔法のように一足飛びでたどり着いたわけではないということです。デンマークを作り上げてきた3つのポイントを紹介します。

目指すべき北極星を持つこと

デンマーク人と話していると、どの組織のどの年代の人にも「デンマークは高福祉社会」というアイデンティティが強烈に共有されていることに気が付きます。つまり、人間が人間らしく幸せに生きていくことが社会の目的であり、その目的のためにさまざまなリソースを使うのだという「北極星」が共有されているのです。そのことは、デンマークにおける教育への姿勢にも強く反映されています。デンマークでは、教育の目的を「民主主義社会に参画できる自律した個人を育てる」ことに定め、日本の公教育に当たる知識教育は無償で提供されています。その上、教育期間中の18歳以上の国民に対しては、政府から学生援助金が給付され、生活への支援も行われます。さらには、知識教育と並行して人間が社会の中で生きていくためのマインドやスキルを身に付けるための社会教育の選択肢も豊富に用意されています。このように、デンマークでは、教育を次世代の人間への投資とし、惜しみなくリソースが投入されているのです。

未来を創る対話を真っすぐに続ける

まだ見ぬ未来の社会に向けて行動をするときには、頭で考えてもわからないことが多いものです。それを乗り越える方法も、デンマークから多くを学べると私は考えています。何のひねりもなくて拍子抜けするかもしれませんが、それは「真っすぐに対話を繰り返し、着実に未来に向けた行動を重ねる」ということです。

ポイントは、議論ではなく対話であるということです。結論や正解、白黒を決めるための議論とは違い、対話では互いの価値観や視点を対等な関係性で共有し合うことで、集合知の中から予定調和でない新たな方向性が浮かび上がります。デンマーク人は対話に非常に慣れ親しんでおり、上手なことにいつも感心します。

歴史をさかのぼるとデンマークの哲学者であり神父であるN・F・Sグルントヴィは、「死んだ文字（書籍等）」でなく「生きた対話」を通した人と人の間からこそ社会は創られるという思想の下、成人教育機関であるフォルケホイスコーレを構想し、今日のデンマークの教育思想と社会に多大な影響を与えました。

その思想が今日まで脈々と引き継がれ、デンマークでは、立場や肩書き、役職の違いを超え、一人の人間として、自分たちの社会や組織の望ましい未来を共有し合う姿を日常的に見かけます。青臭いようですが、そのような話題をオープンに話すことでしか新たな未来の方向性は創られないとデンマークから教えられています。

対話に参加するために自分の倫理観を内省する

最後に、未来を創る対話を何倍も実り多いものにするためのポイントを紹介します。それは、自分の「倫理観」の軸を明確に持つということです。デンマークでは、まるでパズルのように自分だけのオーダーメードの学びを設計することができます。たとえば、必要であれば義務教育期間を延長できたり、大学進学前にギャップイヤーを設けて、進路選択を急がず、じっくり考えた上で先の道に進む人も多いです。また、義務教育期間には、選択肢としてホームエデュケーションも認められています。このように随所で「いまの自分に必要なもの」「自分が望んでいること」をじっくりと考える余白と選択肢が与えられ、その過程で自分はどのような人間で、何に心が躍ったり憤りを感じ、だからどのような社会を創るためにどう貢献するか、という意識が醸成された上で社会に出るようになっているのです。

現在はデジタル社会を推進しているデンマークも、一朝一夕で成り立ったわけではなく、多くの対話を繰り返し、試行錯誤を繰り返して今の社会を作ってきたのです。彼らから学べる、北極星を持つこと、対話を続けること、そして自分の「倫理観」の軸を持つこと、という3つの教えは、明日から踏み出せることばかりです。私たちLaereでも、My Will（私が社会で成し遂げたいこと）を持った次世代リーダーの育成プログラム等の形で、デンマークから学べることの普及・実践に努めています。私たちが、そしてこの本を読まれた皆さんが、どのような一歩を踏み出したのか、共有できる日を楽しみにしています。

外川 綾音
株式会社 Laere プロジェクトディレクター
「人の想い」から始まるプロジェクトを、北欧社会をヒントに、引き出し・支援し・実践する共創型アクションデザインファームである株式会社 Laere（レア）にて、プロジェクトディレクターを務める。産総研デザインスクールや企業に対する人材育成、組織開発の提案、支援等を担当。なめりかわ未来学校創設にも関わる。

第5章

デジタルエシックスの社会実装

Invitation to Digital Ethics

日本でのデジタルエシックスコンパスワークショップ

倫理は事業開発の軸になり得るか

２０２３年２月、ＮＥＣは、デンマークデザインセンター所長（当時）であるクリスチャン・ベイソンさんを招いて「ＡＩの社会実装とデジタルを真の競争力に転換する秘訣」と題するウェビナーを開催しました。このセミナーには、さまざまな業種の企業から幅広い職種の５００人近い方からの参加応募があり、デジタルエシックスへの関心の広がりを強く感じました。

参加した皆さんの背景や考えを探るとともに、理解を広めるべく、翌月にはデジタルエシックスコンパスのワークショップを開催することにし、社内外から参加者を募りました。そのうちの一つが、森ビルが運営するARCH Tranomon Hills Incubation Center（以下、ＡＲＣＨ）です。

ＡＲＣＨは、大企業の新規事業創出や事業改革を担当する部門を対象とするインキュベーションセンターで、１１５社、９００人が参画しており、ＮＥＣもその一員です。デジタルエシックスコンパスはもともと、新規事業開発者にフォーカスを当てて作られていることから、そのような立場の人々を日頃サポートしているＡＲＣＨに参加してもらい、意見を聞きたいと思ったのです。

ワークショップにはＡＲＣＨから2人の参加があり、「エシックスは新規事業開発の芯を考えるのに役立つ」との感想を聞けました。そこで、今度はＡＲＣＨの会員を対象にワークショップを開催することを提案し了承いただきました。ＡＲＣＨでは事業創出を支援するさまざまなサービスやコンテンツを提供しており、コミュニティ活動＝参加企業による持ち込み企画も活発に実施していますが、これまで倫理に関する企画はなかったとのことです。

ＡＲＣＨのコンテンツ担当者は、ワークショップを受け入れた理由を次のように説明してくれました。

「事業開発をサポートする活動の中で、ビジネスモデルなどを語るだけでは、活動の芯がないように感じていました。倫理を語るとは、他者からの目線や評価について、お互いに考え語ることだと思います。事業開発とは新しい世界を作っていくことであり、事業のことだけではなく、ステークホルダーの多様な考えの渦中に入っていくための軸を『倫理』という言葉で考えたとき、しっくりきました。加えて、自分が何を実現したいのか、それを知覚するためにも倫理は必要です。つまり、自身は何を解決したいのか？　これが、倫理を前提に語ることで明らかになります。

特に大企業の新規事業担当者は、新規事業の専門家ではなく、既存事業から異動で配属された方が多いです。企業の一員としての芯は持っていますが、これから創る事業の芯は新たに創

虎ノ門ヒルズビジネスタワー内にあるARCH

らなければなりません。企業内の新規事業担当者が強い思いを持つには新しい活動の芯が必要となり、それは、これまで深く考えることのなかった事業全体における倫理について検討を進めることで明らかになります。それは答えを出すというのとは全く違う経験です。何を大切にしたいのか、それを自身の中で決め、しかも事業性と整合させるために必要な要素なのだと思います」

私たちも経験したことがありますが、事業開発を進める過程では技術的可能性やマーケティングの検討に終始しがちで、特に開発が佳境に入ってくると、ユーザーや社会にとってのメリットやデメリットさえ忘れがちになります。そういった検討から生まれた新規事業は、ユーザーから受け入れられることなく消えていってしまうことになりかねません。そうならないための〝芯〟が必要だという課題感は、私たちと同じものでした。

それでは、実際のワークショップは参加者にとってどのようなものだったでしょうか？

多彩な企業の事業開発担当者を対象にワークショップを開催

ＡＲＣＨでのワークショップは、２０２３年5月に実施しました。募集期間が短かったのに加え、倫理という一見、事業開発とは関係がなさそうなテーマで参加者が集まるのかなという不安もありましたが、多様な業種の企業からの参加があり、途中退出者も出ませんでした。

当日は3時間という時間の制約もあり、本来2日間かけて行うワークショップのエッセンスを抽出した形で行いました。「皆さんが思う、もしくは作りたい良い世界とはどういったものでしょうか？」という質問への答えを4～5人のグループごとに話し合ってもらうことから始め、ジレンマゲームも交えてデジタルエシックスとデジタルエシックスコンパスについて説明をしました。最初は、事業開発とエシックスとの関係を測りかねたのか、やや戸惑い気味だった参加者の皆さんも、デジタルエシックスコンパスの22の質問や具体的な演習内容などを説明する頃には、デジタルエシックスの意義を理解し始めたようで、活気が出てきました。

参加者のデジタルエシックスへの意識が高まってきたところで演習に入りました。今回のワークショップでは、参加者が実際に検討している新規事業プロジェクトにフォーカスし、デジタルエシックスコンパスを適用してみるという演習を用意しました。参加者が検討したいプロ

ワークショップの様子

ジェクトを出し合い、グループごとに、その中の一つについて、デジタルエシックスコンパスの基本理念である「人間中心」あるいは4つの原則「人を陰で誘導することは避ける」「仕組みを理解しやすくする」「不公平さを避ける」「ユーザーにコントロール権を持たす」のうちから最も関係のあるものを選びます。そして、そのテーマに沿って、今後直面するジレンマを書き出し、どんな改善策があるかを考えるというものです。最後に、各グループの検討結果を全員でシェアしました。

この演習では、エシックスという、これまであまり意識したことがなかった視点からの検討ということもあり、どのグループも企業の枠を越えて活発に意見交換がなされ、現実的な改善策を考え出すことができました。そこには、オープンイノベーションやステークホルダーを交えた検討を実地に行えたという側面もあるでしょう。演習を通して、エシックスは事業開発に活かせることを実感していただけたのではないかと思います。実施後のアンケートでは９割を超える参加者の方にご満足いただけました。

日本企業がもともと持っていた倫理観

ワークショップ開催から２カ月ほど経った頃、参加者６人とＡＲＣＨの担当者にフォローアップインタビューを行いました。

参加者の多くが口にしたのは、これまで仕事の上でエシックスを意識することはなかったということです。ワークショップに参加したことでエシックスに対する見方が変わったという声が多くありました。

「新規事業プロジェクトでは顧客視点が欠けてはいけないと思っていますが、顧客視点で考えるには倫理設計が重要になってくると実感できました。エシックスを検討しておかないと後戻りが発生してしまうでしょう」（金融機関からの参加者）、「大きな発見は、倫理的であることで事業価値が上がるということです。倫理的にサービスを設計することで、価値が上がるという気付きを得られました」（ＩＣＴ企業からの参加者）といった意見が出ました。

一方で、関係者の間で意見のぶつかり合いが発生しやすい環境関連事業を営む企業からの参加者は、「技術者への倫理教育は社内で行っていますし、自分たちの倫理観に合わないものには対応しない『融通の利かなさ』が私たちの価値だと思っています。今後の事業開発では早い段階でデジタルエシックスコンパスで検討しておかないと、事業として成り立たないのでは思います」と、感想を述べます。

食品メーカーからの参加者は、仕事の上でエシックスを考える機会はないとしながらも、「乳幼児向け製品に関連したアプリを提供しているのですが、乳幼児と両親をサポートする機能しか入れていません。そこで商品を売りたい、宣伝したいという相談があっても、『それをお客さまが望んでいるのか？』『うちの製品に囲まれるのがお客さまの望んでいることか？』という視点を持つようにしています」と、顧客のことを本当に考えようとする流れが始まっていることを教えてくれました。

ＡＲＣＨの担当者は、「デジタルエシックスコンパスのワークショップで新しい見方に気付き、エシックスを前向きに使う考えが参加者の方々から見られました。ＡＲＣＨ内でのセミナーやメンタリングでは常々『顧客視点』や『機能は顧客が必要な最小限に済ませること』がレクチャーされているため、エシックスの考え方はなじみやすく自然な反応ではないかなと思います」と指摘します。

普段の業務でエシックスを意識することはないと言いながらも、話を聞いた方たちは、企業価値や顧客志向などを考える中で、その組織なり、その人なりの「内なるエシックス」に従って仕事をしていることがうかがえました。同じように「内なるエシックス」を持って仕事と向き合っている方は多いのではないでしょうか？　デジタルエシックスコンパスは、そこにデジタルならではの留意点やより多様なステークホルダーの視点に気付くことを助け、思考を整理する羅針盤となってくれる可能性がうかがえました。

「買い手よし、売り手よし、世間よし」に「未来よし」を加えた四方よしに向けて

ワークショップとフィードバックインタビューを終えて、エシックスを考えることは関連する人たちにとっての良い未来を考えることであり、デジタルエシックスコンパスとは、その良き未来をどのように作っていくかを検討する機会であるという認識を強くしました。

日本のＤＸが進まないのは、良き未来に対する議論が足りないのが原因です。デンマーク在住のジャーナリストであるニールセン北村朋子さんは、近江商人の経営理念である「買い手よし、売り手よし、世間よし」の三方よしに「未来よし」を加えた四方よしがデンマーク流であると指摘しています。デンマークで訪問した先の方々は、常に未来の話を語っていました。未来をどうしたいかは、良き世界とは何かを語ることと同義なのです。

デジタルエシックスコンパスは、とっつきにくいものと考えられがちなエシックスについて、それが身近なものであり、私たちの思考を広げ、助けてくれるものであると気付かせてくれる支柱となってくれると思います。正解を求めるのではなくどのようにあるべきかを考える、未来を予測するのではなく引き寄せていく。ワークショップを通して、そうした空気が生まれて

くることに大いなる期待を感じました。

デジタルエシックスの活用事例

伊藤園×NEC×SOLO
AIによる気分判定を活用した自動販売機のトランスフォーメーション

感情を分析する技術

私たちは日頃から、相手の表情の変化を読み解きながらコミュニケーションを行っています。株式会社伊藤園とNECは、人間の表情からの感情分析技術を活用した次世代自動販売機の検討プロジェクトを進めていますが、その事業開発の過程において、デジタルエシックスの観点をどのように活用してきたのかを紹介します。

人間の感情を体系的に読み取ろうとする研究は古くから行われてきました。1872年、チャールズ・ダーウィンはさまざまな地域の人の表情に違いはあるのかを研究し、人類の基本的な表情は世界共通だとする結論を出しています。1970年代にはポール・エクマンが基本的な感情として「怒り、嫌悪、恐れ、幸福感、悲しみ、驚き」の6つを挙げ、1978年には表情筋の動きを理解し、分析するための技術として、Facial Action Coding System（FACS法）と呼ばれる手法を体系立てました。また、ジェームズ・ラッセルは、感情にはさまざまな要素が混ざり合うことから、それらを円環で表現した感情円環モデルで人間の感情を言語的に表現する手法を提唱しています。このように、人間の感情を読み取る手法は数多く研究されてきていますが、人間の感情を体系的に読み取るためには相応のトレーニングが必要であり、FACS法に基づく表情分析を習得するためには半年程度の集中トレーニングが求められます。

2000年代に入ると、デジタル技術を用いて感情を分析する技術の開発が進められ、2020年以降の新型コロナ禍において、この技術の社会実装が加速しました。外出自粛によりオンライン会議のような画面越しのコミュニケーションが増え、ビジネスや学校教育の場においても相手の表情が読み取りづらい状況が長期間続きました。そのため、少しでも相手の表情の変化を感じながらコミュニケーションしたいというニーズが高まり、デジタル技術を用いて、相手の顔画像から悲しんでいる・喜んでいるといった感情を解析する技術が、オンライン会議やオンライン授業などさまざまな場所で試用され始めています。

感情分析技術が普及すると、誰でもいつでも感情を分析できるようになり、相手の感情を把握することはもちろん、自分の感情を客観的に観察することができるようになるといわれています。

一方で、感情分析技術が、採用面接など、人を評価する場面で使われる場合、分析結果にその人の人生が左右されてしまう可能性もあります。もし、分析技術が未成熟で精度が低かったり、分析するＡＩの判定結果にバイアスがあるなどの影響で、本当は笑顔で楽しんでいるのに嫌気や悲しみが検出されて不採用となってしまったら？　感情分析技術の利用には、人に不利益を与える可能性もあるのです。

感情で事業をトランスフォームできるか？

企業は顧客の性別や年齢、インターネットでの行動履歴などのデータを基にニーズを捉え、モノやサービスの販売に生かそうとしてきました。しかし、消費者が購買に至る判断基準は変化し、価格や機能・性能に加えて、モノやサービスに対する共感（作られた背景や文脈）も基準にしては商品を選ぶようになってきています。そこで感情が、従来の製品開発・マーケティング手法にはない、消費者を捉える新しい物差しとして注目を集めています。オンライン家庭教師サービスでは、生徒の感情を可視化し、授業を楽しんでいるかどうかを保護者に伝えるといった付加価値の提供を試行し始めている例があります。動画や音楽の配信サービスでは、コンテンツに触れた消費者の感情を分析し、お薦めするコンテンツを変化させる検討が行われています。接客トレーニングでも活用が検討されており、さまざまなサービスで消費者の感情を捉えようとするケースが増加しています。

コロナ禍により、自動販売機の売り上げが低迷していた伊藤園も、感情に注目している一社です。企業等のオフィスに設置した自動販売機は安定した収益を生み出していたのですが、コロナ禍による出社制限の影響で売り上げが低迷。加えて、流通の仕組みが変化して小売店を介した販売ルートが増える中、約13万台を展開する自動販売機は、消費者との直接の接点でありながら、飲料を効率的に販売するというシンプルな価値以上に活用できておらず、何らかの打開策を必要としていました。

そこで、伊藤園とNECは、次世代の自動販売機の姿を模索する共創プロジェクトを立ち上げ、さまざまなデジタル技術を活用し、消費者に飲料を提供するだけではない新たな価値を提供できないか、検討を開始したのです。

まず検討したのは、自動販売機の果たしている役割です。

自動販売機で飲料を購入する消費者は、何を求めているのでしょうか？　おいしい飲み物を買いたい、いつもの飲み物をすぐ手に入れたいといったニーズがあることは想像が付きます。次世代自動販売機を考えるに当たって、さまざまな消費者にインタビューを行い、自動販売機に求められているものは何かを模索しました。多くの方が、「自動販売機で買うものは決まっている」と回答する一方、「特に買うものを決めていない」「その場で決める」という方も一定数いました。しかし、自動販売機では味を試して買うことはできません。いったい、何を基準に買う商品を決めているのでしょうか？　検討の結果、後者の人たちは飲み物を買うというよりも、自動販売機に歩いていく、仕事や作業から解放されてリフレッシュする時間を求めている（結果として飲料を購入する）のでは？という仮説に至りました。こういった消費者に対して、味や機能だけではない、何らかのコミュニケーションを行い、満足してもらうことができれば、伊藤園の自動販売機を選んでもらえるのではないか。この仮説を基に、自動販売機と組み合わせるデジタル技術の探索を進めました。

顧客の感情を分析する自動販売機

自動販売機でリフレッシュ体験を提供するために、さまざまな方法を検討しました。リフレッシュできる動画や音楽を流す、自律神経の乱れを測定する、短いゲームをプレイして他の消費者との交流を生む……その中で有力な候補となったのが、イスラエルのスタートアップ企業であるSOLO Wellbeing Ltd.（以下、ＳＯＬＯ）の感情分析技術でした。

ＳＯＬＯは顔の筋肉の動きから感情を推定する技術を開発し提供しています。スマートフォンやタブレットのカメラで数秒間、顔を撮影することで、対象者の感情を推定するものです。ストレスにさらされることが多い職場という環境で、自分の感情状態を客観的に可視化してくれること、人を介さない気楽さ、特殊なカメラなどの特別な機器が不要なこと、さらに、従来の性別や年代といった属性を検知するのではなく、感情という新しい指標を示すことで、職場の

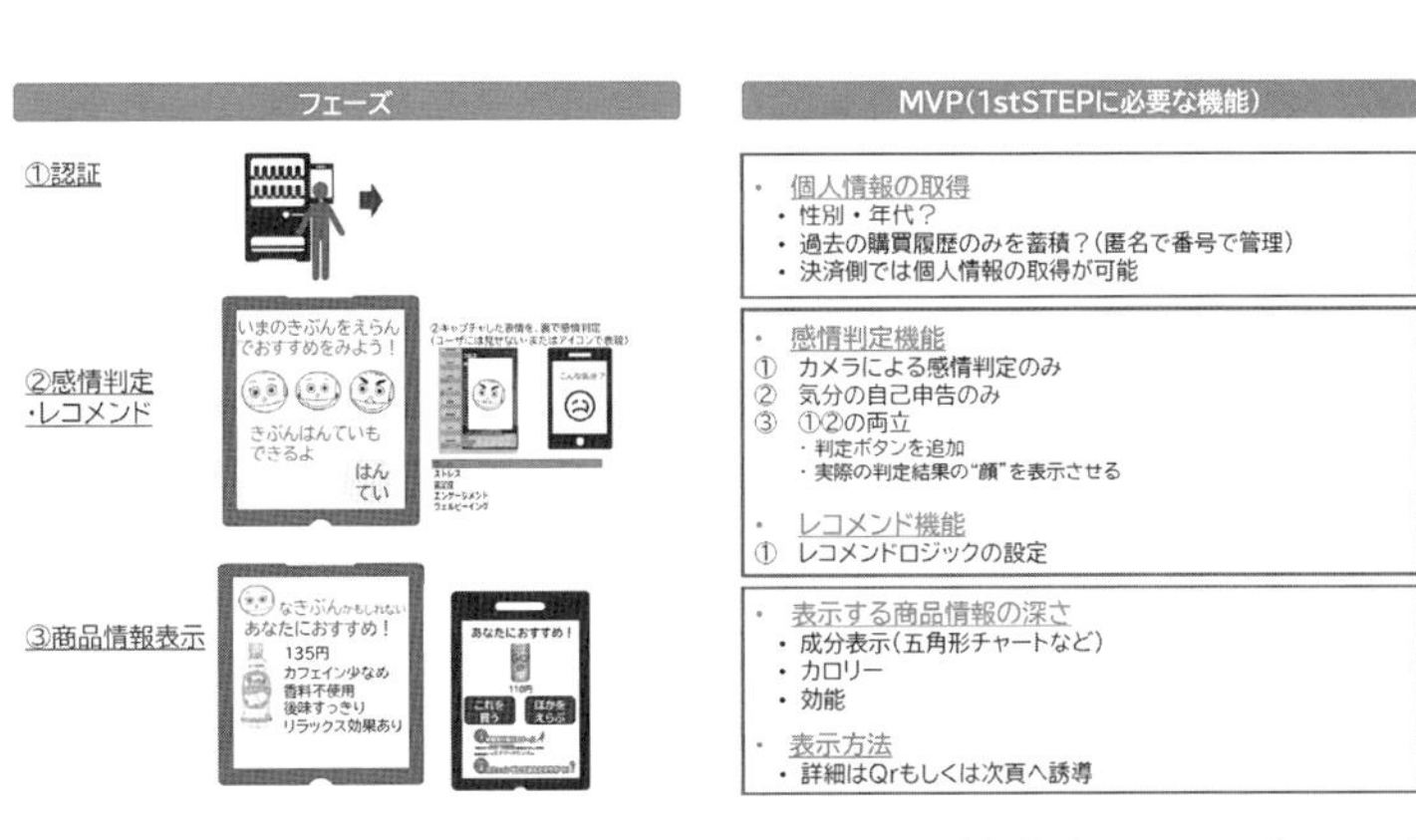

検討初期のペーパープロトタイプ

コミュニケーションの活性化にもつながるのではないかといった点も評価し、「感情分析の結果を基に飲料をお薦めする自動販売機」という初期コンセプトを構築しました。

一方で懸念すべき事項もありました。「心に秘める」「おくびにも出さない」といった表現があるように、日本人には歴史的に感情を表情に出すことをあまり良しとはしない国民性があるのではないでしょうか。世界全体を見れば、基本的な表情は同じでも、地域によって、表情の変化の大きさには差があるといわれています。たとえば日本人を対象にした研究では、エクマンの６つの基本感情を示す表情のうち２つしかはっきりとは表出されないことが理化学研究所の佐藤弥氏らによって実証されています。

感情という個人的な情報を可視化してしまってよいものか。自動販売機に飲料を買いに来た人が、自分の大切な情報を暴かれたと感じてしまわないか。日本人の感情に対する感覚と乖離していないか。こういった懸念に対処しないと、エシックスの観点から問題があるだけでなく、自動販売機でリフレッシュ体験を提供したいという私たちの思いも届きません。初期プロトタイプを基に、ユーザーインタビューを行いながら、仮説の有効性と消費者の不安を慎重に検証し、コンセプトを具体化していくことにしました。

◎インタビューで出てきた懸念 「感情分析」という言葉の重さ

誰かから「疲れてるね」と言われて疲れに気付く、「なんかうれしそうだね」と言われると、そんな気がしてくる……人の感情は刻々と変化するものです。先述したラッセルの感情円環モデルによれば、感情は一種類ではなく、怒り、悲しみ、喜びといったさまざまな感情が集合し、表情に表出します。

初期コンセプトを基に、「感情を分析して商品をお薦めする自動販売機があったら、使ってみたいですか?」と、主に職場で自動販売機を使う機会がある消費者にインタビューを行っていきました。自動販売機が飲料を出す以外の機能を備えていたら？　その状況がイメージできない方も多かったのですが、自分の感情が可視化されることに対する不安はそれほど大きくなく、「それによってメリットが得られるならよい」「他人にばれるのは嫌だが、自分の感情は見てみたい」といった意見を述べる方や、「職場全体の感情がわかれば、他の階や他のビルと比べてみてもおもしろそう」とゲーム視点で捉える方もいました。ただ、「感情を分析されても、それが正しいかどうかわからない」といった声や、「分析と言われると精度が気になる」という声も多く聞かれました。感情分析という新しい技術や、それを備えた新しい自動販売機が、「得体の知れないもの」と捉えられる可能性が見えてきました。

新しい技術を取り入れたとしても、自動販売機は生活に密着した存在であるため、消費者が簡単に理解できるものでないといけないのではないか、そのためにはどうコミュニケーションしていけばよいか。ＵＸなどの機能を検討する前に、まず名称の検討を行いました。その結果、「感情」という言葉を使うよりも「気分」ぐらいの言葉の方がよいのではないか。「分析」という精度が気になる言葉よりも、「判定」、あるいは「占い」ぐらいの表現の方が不安なく使えるのではないか、という考えから、まずは「気分判定自動販売機」という名称で進めることとしました。

設計で出てきた懸念　ビジネス効果に目がくらむ

初期コンセプトに修正を加えた後、気分判定自動販売機の具体化のための設計に入りました。どんな気分のときに、どんな飲料を薦めるのがよいか？　消費者の意見（「疲れているときはカフェインが強めの方が良い」など）を参考にしつつ、飲料メーカーとしての知見も加えて飲料をお薦めするロジックを構築していきました。たとえば、イライラしているときは香りがある飲料の方が呼吸を深くして気分を落ち着かせると期待できるのでジャスミン茶を薦めてはどうか、といった具合です。また、炭酸飲料が飲めない方を想定し、判定結果に対してお薦め商品を複数提示して選択権を持ってもらった方がよいのではといった検討も行いました。

ところが、飲料メーカーとしては、売りたいがユーザーの認知度が低い商品を薦めることが新たなユーザーの獲得につながるのではないか、また、ＩＴベンダーとしては顧客の業績向上に貢献しなければというビジネス視点が入ってしまい、気分に基づくお薦めに加えて、売り上げ拡大の観点からお薦めロジックを検討してしまうケースも出てきました。しかし、こうしたロジックは消費者からの不信につながりますし、気分という情報を分析しながら、それとは関係のないロジックで購買行動をコントロールされているのではないかという疑念を生みます。こういった点を検討し、お薦めのロジックは、判定した気分に基づいた商品のみをお薦めするべきという結論となりました。

実証実験で出てきた懸念　データは誰のもの？

検討開始から約1年、２０２２年11月に、ようやく実証実験までたどり着くことができました。とはいえ、感情に基づいて飲料をお薦めするという新しい技術であり、伊藤園ではもちろん、国内でも初の取り組みです。慎重に検証を進めるべく、まずは伊藤園社内で実証実験を行い、消費者の受容性を検証しました。

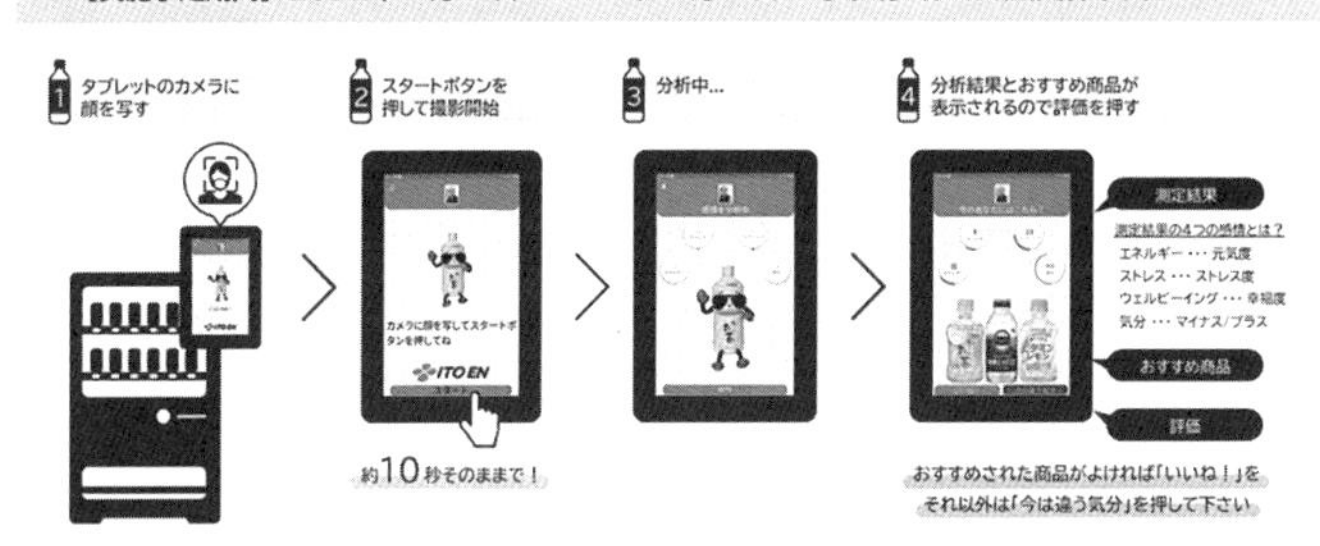

実証実験時に掲示したお知らせ

実験開始直後から、「何か変わった自動販売機があるぞ」と社内で話題となり、多くの社員が試用しました。その結果、これまで議論してきた懸念のとおり、「分析結果が自分の感情と合っているのかわからない」「自分の気分とは違う」「感情は合っている気がするが、お薦めされた飲料にイマイチ納得感がない」といった意見が寄せられるなど、さまざまな反応がありました。ただ、気分判定という仕組み自体に対しては、「目新しくおもしろいので、懸念に対処しながら進めるとよいのでは」というポジティブな意見が大半でした。

一方で、気分判定データの取り扱われ方に対する意見もありました。ＳＯＬＯの技術は個人を特定せずに分析を行うものです。実証実験の参加者からは、データ活用への期待と懸念の両方の要望が出ました。「個人データを蓄積して傾向をチェックしたい」と、個人を特定してほしいという要望がある一方、「もしこの気分判定の仕組みで職場の雰囲気がわかるようになり、人事部門が悲しみの強い人を特定して面談したり、その上司が呼び出されたりするようになったら嫌だな」といった監視的な使われ方への懸念も見られ、気分判定の結果が個人の不利益を発生させるのではないかという不安にどう対応すべきかという課題も浮かび上がりました。

拡大実証実験で出てきた懸念　9割は満足……だが1割は？

伊藤園での実証実験は、社内の参加者による検証ということもあり、おおむね良好な結果が得られたのに加え、新たな課題も把握できました。お薦めロジックの改善などを経て、2023年4月に、いよいよ一般の消費者での検証に進みました。今回のプロジェクトの目的は「職場に設置された自動販売機のトランスフォーム」であったため、企業の職場での検証を中心としつつ、多数のご協力をいただいて、次の場所で検証を行うことができました。

- インキュベーションオフィスARCH Toranomon Hills Incubation Center（以下、ARCH）のカフェスペース
- NECのオフィス、一般企業のオフィス
- タリーズコーヒー店舗
- スーパーマーケット店舗

ARCH

タリーズコーヒー

NEC

スーパー店頭

一般消費者を対象にした拡大実証実験の様子

NECのオフィスやARCHでの検証は企業で働く方が利用者となり、伊藤園社内での実証実験と類似した環境となりますが、タリーズコーヒーやスーパーマーケットは全く新しい環境での検証となります。どういった反応が得られるのか、不安ながら検証を開始しました。

この拡大実証実験参加者に対するアンケート調査では、利用者の9割が感情を分析されることに抵抗感はないと回答し、8割は引き続きこの仕組みを使いたいと回答しました。また、5割の利用者が「お薦めを基に購入する商品を検討した」と回答し、飲料を選ぶ際の新たな体験を作り出すことができたと考えています。さらに、2割の利用者は、これまで気付いていなかった新しい飲料を知って実際に購入しており、自動販売機の売り上げ拡大に貢献する可能性も確認できました。

しかしながら、1割の利用者から「気分を判定することに抵抗感を感じた」と回答があった点は、重要な発見でした。アンケートには「比較が難しく受け取り方がわからなかった」「判定の理由を明確にしてほしい」といったコメントがあり、技術やお薦めのロジックを透明性をもって説明していくことはもちろん、抵抗感を感じる利用者には気分判定の仕組みを使わなくても飲料が買えるＵＸや動線を設計するなど、不安に寄り添う仕組みを用意しておく必要性に気付きました。また、こうした対応は気分判定に限らず、新規性の高いデジタル技術を活用した事業を開発する際には必ず考慮すべき事項であり、事業開発の標準プロセスに組み込んでいく必要性を体感しました。

ペインの解消が新たなペインを生む可能性も

気分判定自動販売機の共創プロジェクトは、感情を分析したデータに基づくリフレッシュ体験を利用者に提供することを主眼に進めました。また、こうした体験を提供できる仕組みが付加価値となり、自動販売機の設置を検討する際に選ばれる存在になることや、分析データを解析してフロアの気分を可視化するといった二次的な価値を提供するなど、ビジネスにおける感情分析技術の可能性も検証してきました。

新しい事業を考える際は、利用者のペイン（困り事、解決してほしいこと）にフォーカスして解決手段を模索していきます。今回の取り組みでは、９割の利用者のペインを解決できたかもしれませんが、感情分析という新しい技術が登場したことで、１割の利用者に新たなペインを生み出した可能性もあります。

仮にこの新たなペインが顕在化するようなことがあった場合（たとえば監視目的に使われて、実際に不利益が発生したなど）、この仕組みの責任の所在はまだクリアではありませんし、不利益を生んでしまったプロセスを説明する仕組みも整備されていません。気分が落ち込んでいるときは笑顔になると気分が上向くといった説もあれば、逆に感情不安定になるとする意見もあり、仕組みを提供する側が感情操作を行う事態を防ぐためのガバナンスも重要となるでしょう。

気分データの所有者は、データの発生源である利用者です。将来、個人を特定する利用法を考えるなら、気分に関する個人情報の取り扱いは非常にセンシティブな問題になります。また、リスク認識や対策（利用者とサービス提供者の間のコミュニケーション手法など）の検討が重要な課題となります。利用者が想定するデータ利活用の範囲と、提供者（事業者）の想定するデータ利活用の範囲を整合させること、また、仮に気分判定の結果が利用者に不利益を与える可能性があった場合でも、その影響を回復できる仕組みを考えていくことが、事業判断をする上で重要な取り組みになるといえるでしょう。

東北大学病院×ＮＥＣ
病院業務におけるＡＩ活用をエシックスと技術の観点から検討する

医師の働き方改革を生成ＡＩで支援

２０２４年４月から、医師の働き方改革として、時間外労働時間の上限規制が始まります。しかし、多くの病院では医師は過重労働状態となっており、補充も簡単にはできません。そこで、診療できる患者さんの数を減らさずに、業務の効率化によっていかに医師の労働時間を減らしていくかが大きな課題となっています。

ＡＩの活用による課題解決に向け、東北大学病院は「スマートホスピタルプロジェクト」において医師の働き方改革に向けたソリューション開発を行っています。特に力を入れているのが、病院業務への生成ＡＩの応用、中でも医療現場での大規模言語モデル（LLM：Large Language Model）の活用です。

その実現性を探るためにまず行ったのは、医療従事者が行っている業務の洗い出しです。東北大学病院耳鼻咽喉・頭頸部外科の外来業務、病棟業務（入院業務）において、実際にどのような業務があり、その業務にどれだけ時間がかかっており、医療従事者にはどれくらいの負担になっているかを計測し分析しました。

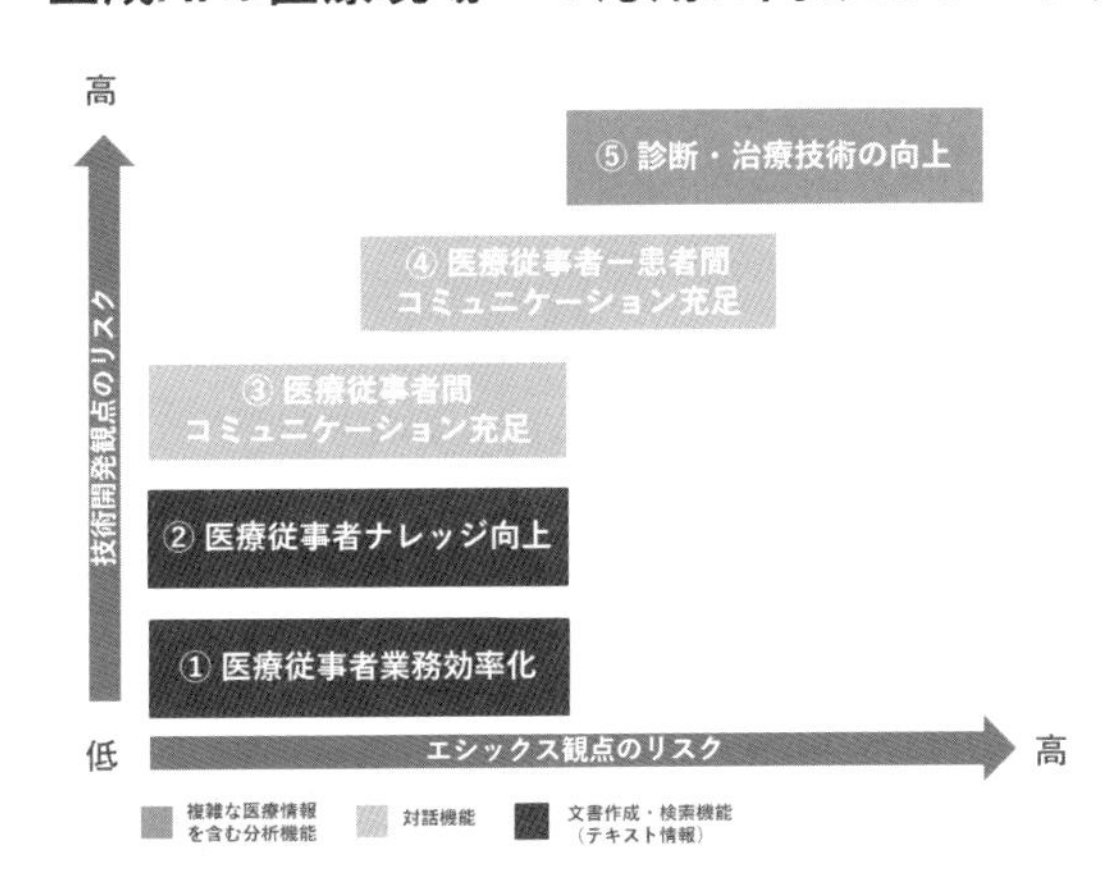

次に、それぞれの業務について、生成ＡＩによる効率化が期待できるユースケースを分析したところ、およそ３００のケースが挙がりました。それらを類型化し、診療に関する情報を扱うエシックスの観点と技術難易度という２つの観点から分析を加えました。その結果は、上の図のとおりです。

図で示した番号順に分析内容をまとめると、次のようになります。

①医療従事者業務効率化

文書作成など、医療行為以外の業務をＡＩのサポートで効率化するもので、技術難易度も低く、もしＡＩが間違った結果を出しても医療従事者が気付くことができるため、リスクも最も低いと想定しました。

②医療従事者ナレッジ向上

医療従事者にＡＩが知識を提供するもので、

主に医師や看護師、技師の学習や教育に使用されます。医療分野での専門教育を完了した専門職への情報提示のため、仮にＡＩが明らかに誤った情報を提示したとしても深刻なリスクは回避できる可能性が高く、患者への影響は間接的であるためリスクがやや低いと想定しました。

③医療従事者間コミュニケーション充足

医師が治療方針や手術方針などを決める会議の記録をＡＩが下書きすることで、医師と看護師、検査技師の間のコミュニケーションを支援するケースです。患者への直接的影響は少ないのですが、もしエラーを誘発すれば患者に影響を与えてしまうため、リスクは中程度と想定しました。専門家同士のコミュニケーションでは、コミュニケーション内容に一定の類型化も見込めることから、技術的難易度も比較的低いと想定しました。

④医療従事者―患者間コミュニケーション充足

患者の個人情報や医療情報を取り扱うことに加えて、コミュニケーションの対象が患者となるため、ＡＩが出した結果が間違っていても患者は誤りに気付けない可能性が高くなります。患者に直接的影響が及ぶ可能性もあるためリスクが高いと想定しました。また、個別性が高く不定型なコミュニケーションを取り扱う可能性が高く、ＡＩが提示した情報の根拠が必要となるケースが多いため、技術的難易度も高いと想定しました。

⑤診断・治療技術の向上

診療に関わる判断をＡＩが支援するもので、患者に直接影響を与えるため、最もリスクが高いと想定しました。日本では診断は医師しかできないと医師法で定められており、それをサポートする医療機器やＡＩは国の認可を受ける必要があるため、開発期間も長期にわたり企業にとっては開発リスクが高くなります。また、文字情報だけでなく画像、映像等、多様な情報を取り扱うため、技術的難易度も高いと想定しました。一方で世界的にニーズは高く、開発事例も多くあり、実現できたときの価値も大きいと考えられます。

電子カルテや診断書・紹介状の下書きをＡＩで作成

このように、医療におけるＡＩの活用は、患者の回復や生命に影響を及ぼす可能性がありま す。そこでＡＩの活用において注意すべき一般的な対策に加え、次世代医療基盤法、個人情報保護法、医学系研究に関する倫理指針等を参考に、医療応用におけるユースケースを分析し、社会実装すべき順序を検討しました。

その結果、医師と協議の上で、まずはエシックス、技術のどちらの観点からも問題の少ない①医療従事者業務効率化に取り組むことにしました。

先述の医師の業務分析の結果から、医師は電子カルテ入力、スケジュール調整、文書作成等の事務的作業に1日2時間程度を費やしていることがわかりました。これらを効率化できれば、医師の時間に余裕ができ、医療の質を落とさずに医師の労働時間を減らせる可能性が見えてきます。

AIが生成	医師が記載
2020年2月18日に嗄声の症状があり、3月3日に喉頭癌左声帯(後方)cT1aの診断を受けました。3月19日にでもT1aN0M0の診断を受けました。4月20日にアルロイドが処方され、5月11日喉頭癌に対する放射線治療60Gy/25回が行われました。	嗄声を主訴に当科紹介となった方です。生検の結果、扁平上皮癌あり、3/19のH&Nキャンサーボードで上記診断となりました。レーザー治療と放射線治療を提示し、通院放射線治療を希望され、下記の経過で治療を行いました。2020年3月30日-2020年5月6日，喉頭：4MV-X，2門照射，60Gy/25回外来通院RT

生成AIのカルテ出力例(模擬データを用いた実験結果であり実在する患者のものではありません)

そこで、ＡＩを適用することで医師の文書作成をサポートするソリューションとして、音声認識で診察時の会話を記録する技術を開発しました。これを生成ＡＩと組み合わせることによって、診察時の医師と患者の会話を音声認識し、ＡＩに電子カルテの下書きを作らせ、医師がその内容を確認するだけで電子カルテが出来上がるという試みです。診察が終わるのとほぼ同時に電子カルテの入力も完了させられるようになります。また診断書や紹介状等の文書作成業務に対しては、医師が通常どおりに診療記録を入力すると、ＡＩがさまざまな医療文書のフォーマットで下書きを作成してくれるソリューションを作りました。さらに、画像診断等の各種検査でも、結果を読み上げたり、所見を述べながら検査を行えば、診察における電子カルテ作成同様に検査レポートの下書きを作成できるようにしました。

これらのソリューションを医師に利用いただき、業務時間削減効果を評価したところ、医療文書作成にかかる時間を平均47％削減できることが確認できました。次は、より大規模に実証実験を行うことを計画しており、事務的作業に費やす時間を１日当たり52分削減することを目標にしています。

病院業務向け生成ＡＩの核となるＬＬＭの強化もあわせて進めています。医療ＬＬＭの基となる汎用ＬＬＭにおいても医学論文、医学記事を学習させていますが、さらに複数の病院の協力を得て、専門用語や現場特有の略語、類似語など、医療現場で使われる表現を学習させるとともに、ＡＩが書いた文書の完成度を評価いただき、医師のフィードバックコメントを基に、さらに適切な文書を出力できるよう改良を進めています。

業務の効率化が進めば、時間外勤務手当の減少による病院経営の改善効果も見込めます。どんなに効果的なソリューションを開発しても、利用者側に経済的効果がなければ広く普及させることは難しいため、費用対効果もあわせて分析することが重要です。

医療へのＡＩ導入にはさまざまな可能性が

ＡＩによる医療効率化の可能性は、文書作成だけにとどまるものではありません。将来に向けて、次のようなケースにもＡＩの適用を検討しています。

・リモート問診

患者は自宅にいながらＡＩによる問診を受け、軽症なら薬局で薬を処方してもらい、医師の診断が必要と判断されれば病院で診断を受けます。実現には、医師に相当するような深い問診をできるＡＩの開発が必要になります。

・デジタル病状説明

診察後、待合室等でタブレット等による病状説明を行うソリューションです。患者の理解度に応じた説明を自動的に行い、不明点のみを医師に質問できるようにすることで患者の病状理解と医師による説明時間の適正化を両立できるようになります。

・バックエンド業務の効率化

電子カルテ、医療事務等、病院内の各種システムにおける記録ミス、診療報酬の請求漏れなどをＡＩで抽出し、より正確な医療記録を残すソリューションです。訴訟対策、保険請求などのバックエンド業務の負担を軽減できます。

近い将来、これらのソリューションを実現できれば、患者は待ち時間が短縮されたり、より一人一人に合わせた医療を受けられるようになります。また、医療従事者は、事務作業を効率化することで、医療者にしかできない診療業務により向き合えるようになり、病院の経営も効率化されます。

病院へのＡＩ導入は医療の質の向上をもたらす可能性もあれば、医療従事者の仕事を奪う可能性も少なからずあります。また。診断にバイアスを生じさせる可能性もあれば、データを蓄積することにより希少疾患を早期発見できるようになる可能性もあります。そのため医師、看護師、技師、病院事務作業者等、病院で働く医療従事者への影響にとどまらず、患者、医療機器ベンダー、製薬企業、保険会社、介護施設、政府など、多様なステークスホルダーと共に、エシックスに配慮することがとても重要な領域です。このように、医療分野におけるＡＩ活用は、エシックスと技術の両面から検討を進める必要があります。

松本市

デジタルエシックスコンパスでデジタル化推進への視野を広げる

DX・デジタル化を推進する松本市

長野県の中核都市の一つである松本市は、２０２１年にＤＸ推進本部を設置するとともに、総合計画に「ＤＸ・デジタル化」を重点戦略として位置付け、地域が持つポテンシャルに最先端のテクノロジーが融合した「デジタルシティ松本」の実現に取り組み始めました。２０２２年には、「ＤＸ・デジタル化」の取り組みを総合的かつ着実に推進するため、「ＤＸ・デジタル化推進に関する骨太の方針」を策定。行政のデジタル化にとどまらず、地域社会、地域産業のデジタル化を進めています。デジタル分野における地方創生、地元企業のデジタル化に加え、電力スマートメーターとＡＩを活用したフレイル検知、地域情報や行政情報を伝えるデジタルマップの公開や、市のホームページにＡＩによる関連ページレコメンデーションを実装するなど、ユニークな試みも次々と打ち出しています。

社会全体のデジタル化を考えると、デジタルエシックスを正しく活用していくことが重要になります。一方で、デジタルの世界での倫理については、日本社会ではまだ十分に理解が進んでいない現状があります。そのため、地域社会においては、行政が率先してデジタルエシックスを実践し、広めていく役割を担うことが少なくありません。

そこで、ＮＥＣは、松本市と連携して、若手職員を対象にしたデジタルエシックスのワークショップを開くことにしました。

庁内のコーディネートを行った松本市総合戦略局ＤＸ推進本部の深澤亮平さんは、ワークショップを開催するに至った背景をこう話します。

「担当する事業の中でも、愛着を持って取り組んでいることの一つに、デジタル技術を活用した松本の未来をデザインする研究室『Ｄ-Ｌａｂ＠まつもと』の運営があります。デジタル分野に関心を持つ部局横断の有志職員で構成し、庁内の人材育成の一端も担っています。ここに参加する職員や日頃ＤＸの推進を担う職員がデジタルを活用する際のエシカルな視点や官民で連携したワークショップに触れることで、それぞれの業務や周囲の職員に少しでもプラスに働くきっかけを作れたらと思いました。

地域のデジタル化を進めるに当たっては、大学や民間企業等と連携し、一緒に方策を考え、取り組んでいくことがあります。市の考えだけに基づいてデジタル化を進めるのではなく、地域や企業の皆さんと一緒に作っていくことが大切だと思っています。また、市民の幸福度の最大化や地元企業の競争力の向上にはデジタルの活用を取り入れることがポイントになってきていますので、地域社会全体に対する倫理をどう捉えていけばいいのか、日頃、何を意識すればよいのかを勉強したいと思いました」

若手職員にワークショップを開催

2023年7月20日に松本市役所で開催されたワークショップには、DX推進本部や「D-Lab@まつもと」から12人の職員が参加しました。ワークショップの内容は、デジタルエシックスコンパスワークショップの内容を凝縮し日本向けにアレンジを加えたものです。設計とファシリテーションはNECが行いました。

ワークショップは、倫理とは何か、デジタルエシックスとは何か、そしてデジタルエシックスコンパスについてのレクチャーに始まり、2組に分かれて1つ目の演習に入ります。松本市のデジタル関連の取り組みを発展させるとどのようなものになるのか？　デジタルエシックスコンパスの5つの原則と照らし合わせると、そこにはどのような倫理的リスクが考えられるか？そして最初に考えた案の逆のプランを採用すればどのような人にどんな倫理的メリットがある

ワークショップの様子

か？　この3点をディスカッションしました。

後半では、デジタルエシックスコンパスの22の質問のうちの4つについて、事例を紹介しながらのレクチャーの後、2つ目の演習に入ります。第3章で紹介したワークショップの「04　新たな視点」、ステークホルダーになったつもりで仮想のレビューを書いてみる演習です。

まず、2組それぞれ、検討したいサービスを出し合います。続いて、そのサービスに関わるステークホルダーを書き出します。そして各参加者が、ステークホルダーのうちの誰かになったつもりで、デジタルエシックスコンパスの5つの原則のどれかに関連する内容で、サービスに対するレビュー（評価するレビュー、あるいは評価しないレビュー）を書いてみます。

この演習では、サービスを検討する段階から多くの意見が出て、ワークショップは一気に活

参加者それぞれが回答を書いて共有

気付きました。それぞれの参加者が現在抱えている課題を出し合うと共通点が見えてきました。また、日頃の業務では顔を合わせないメンバーが集まっている上に統計調査を担当していた職員が参加していたこともあって、各部局が担当しているデータを連携させて新たなサービスを市民や地域企業に提供できる可能性が見えてきました。ステークホルダーを書き出す中では、直接的には関係しない多くの利害関係者の存在を考えることで視野が大きく広がっていきました。サービスから除外される人、つまりデジタル化に対応できない人たちへの対応を検討するのに長い時間を割いていたのも、誰も取り残してはいけないという行政ならではの視点の反映かもしれません。悩みながらも、参加者それぞれが複数のレビューを書き上げました。

最後に、ワークショップの締めくくりとして、検討してきたサービスの持つ短期的・中長期的な重大リスクを3つ挙げ、それに対する解決策を考えます。リスクと解決策を言語化することで、今後の業務に生かせる倫理的思考を定着させるのです。

◉行政でデジタルエシックスをどう活用できるか

ワークショップ終了後に、参加したDX推進本部の堀井將生さんと深澤亮平さんに感想をうかがってみました。

堀井さんは、デジタルエシックスコンパスを見て、「ユーザーにコントロール権を持たす」という点は、行政の職員として特に気を使わないといけないと感じました。実際にワークショップに参加してみると、「不公平さを避ける」という原則を考えるときにアイデアが次々と湧いてきたそうです。

深澤さんは、地域や市民にとっての中長期的なメリットやリスクを考えて取り組むという点で、行政とデジタルエシックスの目指すものに共通点を見いだしました。

「サービスありきで考えるよりも、人間を中心に、まず誰に何を届けたいのかを考えないと、エシカルという視点が生じません。逆に言えば、デジタルエシックスを意識することが、人間のこと、ユーザーのことをより深く考えるきっかけになるのではないかと思いました。デジタルエシックスコンパスはその点が言語化されてわかりやすかったです。デジタルエシックスを業務の中でも意識していきたいと思いました」

もう一つ、２人が強調するのは、デジタルエシックスというテーマで多様な部局の人が集まってディスカッションできた意義です。

深澤さんは、いろんなセクションの職員が交わること自体が、新しい視点を得る機会になったと言います。一方で、参加者同士、日頃の業務内容を知らないために、お互いの業務に伴うリスクまで考える想像力を働かせられなかったことにも気付いたそうです。

「それぞれの業務は別々ですが、さまざまな部局の職員が集まったからこそ、そういう広がりが見えてきたいいワークショップになったと思いました」

堀井さんも、多くのステークホルダーのメリットやデメリットにまで思いが至っていなかったことに気付いたと言います。一方で、それまで気が付かなかったステークホルダーにとってのメリットを、自分のセクションで事業化できる可能性も感じられたというれしい声もいただきました。

また、堀井さんは、デジタルエシックスの前向きな側面にも気付いたと言います。

「申請の電子化等は、その目的として集計する側がいかに効率的になるかが根本にありますが、申請する人にも楽になるというメリットがあるという考え方をどうやったら共有できるかを考えさせられました。そう考えると、デジタルエシックスは、やりたいことやサービスに制限をかけるものではなくて、推進するための考え方の一つと捉えられるのではないかと思いました。

日常の業務の中で行政職員としての倫理を意識することは多いのですが、行政以外の人たちと倫理観をどう共有していけばよいのかとも考えました。市民と力を合わせて優しい世の中を作っていく方法の一つとして、デジタルエシックスコンパスがあるのかなと思いました」

終了後のアンケートでも、「いろんな立場、いろんな考えがあること、それを考えて行動することを同僚に伝えたい」「リスクについても考えること、他の人の視点が入ることで新しいアイデアが生まれたことにワクワクしました」「市民へのアプローチの際、デジタルエシックスコンパスを活用した取り組みを行いたい」といった声が寄せられました。

今回のワークショップは、行政という高い倫理観を求められる世界で、デジタルエシックスコンパスをどう活用していくかを考える貴重な機会になったといえるでしょう。

NEC「AIと人権に関するポリシー」策定

ポリシーの策定過程

２０１０年代から始まった第3次ＡＩブームでは、ＮＥＣもＡＩ事業を強化し、伸長させていきました。ＡＩがさまざまなところで利活用されていく中で、ＡＩが人間の仕事を奪ったり差別的な判断を行ったりするのではないかといった懸念が大きくなり、国際機関や政府、企業でもＡＩ技術が適切に使用されるためのＡＩ原則・ポリシーを定める動きが出ていました。

このような社会からの要請に応えるために、２０１８年にＡＩと人権に関する全社戦略の策定・推進を担う専門組織としてデジタルトラスト推進本部（現デジタルトラスト推進統括部）を設立し、ＡＩ事業を推進する上で大切にすべき価値をまとめた「ＮＥＣグループＡＩと人権に関するポリシー（以下「ポリシー」）」を策定しました。

ポリシー策定は、事前準備・調査、素案作成、素案レビュー、公表・運用の4つのフェーズでおよそ半年かけて実行しました。まずは素案を作成し、精査とレビューを行い、さらに社外ステークホルダーのレビューと公表準備を行いました。その後、全社員向け説明会と教育、社外発表を行いました。

素案の作成は、デジタルトラスト推進本部が中心となり、コンプライアンス部門、ＡＩ関連事業部門、マーケティング部門、渉外部門を中心メンバーとするタスクフォースで行いました。先述のように、デジタルトラスト推進本部も、サステナビリティ部門、技術部門、法務部門などからメンバーを集めて新設された組織です。

タスクフォースはさまざまな専門分野を持った社内メンバーで構成されたため、目線を合わせるために、次の3点を意識するとともに、世の中で発生した具体的な問題事例をベースに検討することとしました。

・ポリシーを実践するためのガバナンスの取り組み全体を意識すること
・具体的な行動にすぐに落とし込めるような実践的なポリシーにすること
・組織や企業のパーパスとつながること

まず、すでに問題となっている事例を広く国内外からピックアップし、国際機関や各国政府、企業が発表しているAI原則やガイドラインを参考に、検討を加えていきました。〝絵に描いた餅〟にならないように、初期段階からポリシー策定後の行動を強く意識しました。実践的なポリシーとするため、AI事業に密接に関連する領域を対象にし、そこに問題事例等を参考に考えた、守るべき原則を掛け合わせることでポリシーの骨格を固めて素案を策定しました。また、問題を起こした場合のインパクトの大きさやリスクの明確化という観点から、特に人権侵害リスクにフォーカスしました。

次に、作成した素案に対して経営幹部、海外グループ会社によるレビューを行い、さらに社外ステークホルダー（大学教授、弁護士、グローバルNPO、CSR・人権団体、コミュニケーション調査会社）からの意見聴取も行いました。社外ステークホルダーからは、ポリシーの内容は評価いただきましたが、同時にポリシー策定後に何を実践するのかが重要だというコメントもいただきました。

ポリシーの7項目が目指すもの

素案のレビューを受けて、ＡＩと人権に関するポリシーとして、次の７つの価値を選定しました。①公平性、②プライバシー、③透明性、④説明する責任、⑤適正利用、⑥ＡＩの発展と人材育成、⑦マルチステークホルダーとの対話です。このポリシーの実践を通じて、パーパスである「安全・安心・公平・効率という社会価値を創造し、誰もが人間性を十分に発揮できる持続可能な社会の実現を目指します」の実現を目指し、ＣＥＯメッセージ「Truly Open, Truly Trusted - This is NEC」、つまり、真にオープンで信頼されるビジネスを行う方針を打ち出しています。

各項目を選定した理由や策定に至るまでの経緯は次のとおりです。

①公平性は、過去にＡＩの判断にバイアスが生じたり、差別的判断をしてしまった問題が世界各地で報告されていることを考え、ＡＩ技術を提供する企業として、しっかり取り組んでいく必要があることから選定した項目です。ＡＩの企画、開発、運用の各フェーズで公平性への配慮を行います。

②プライバシーは、生体認証技術や映像技術を提供していることから、ポリシー策定以前も検討する機会が多かった項目です。「Privacy by Design」、すなわちデザインに組み込まれるプライバシー保護を意識し、技術的にできるプライバシー保護と共に、運用面でのリスクにも十分に配慮することを目標としています。

NECグループ　AIと人権に関するポリシーの7項目

③透明性は、ＡＩの判断に透明性、説明可能性を持たせることを目指すものです。ＡＩは、判断結果の説明が困難になることがありますが、住宅ローン審査のように結果に納得感や安心感が求められる場合や、小売・製造業の需要予測のように分析が目的の場合など、判断理由の説明を求められるケースもあります。「ＡＩがそう出力したから」が理由ではなく、ＡＩを提供する企業として透明性の課題に取り組むことがこの項目の意図する点です。

④説明する責任は、特に技術面で、ＡＩによって何をしており、どのような影響が起こり得るのかをユーザーにわかりやすく伝えていくことを目指すものです。お客さまやエンドユーザーといったステークホルダーに、ＡＩのもたらすリスクや懸念とその対策などを説明することで納得感や安心感を持っていただくことが、ＡＩの社会実装にとって重要になります。

⑤適正利用は、自社でのＡＩ利活用のみならず、サプライチェーン全体での人権を尊重した適正利用を目指しているのが大きな特徴です。Ｂ２Ｂ、Ｂ２Ｂ２Ｃの事業が多く、当社のお客さまからユーザーにサービスが提供される事例もあります。当社とお客さまの間だけでなく、お客さまとユーザーの間でも問題が起きないようにするため、お客さまにもポリシーの内容を理解いただくとともに、必要な場合にはサポートも提供して、技術の適正利用を目指します。

⑥ＡＩの発展と人材育成は、リスクへの対応だけでなく、技術の発展という目線での価値もポリシーに入れたいという意図で選定しました。人権尊重や倫理に配慮したテクノロジーの開発はもちろんですが、ＡＩ技術そのものの発展も視野に入れています。また、技術開発だけでなく、ＡＩを使いこなせる従業員の教育育成も目標に掲げています。

⑦マルチステークホルダーとの対話は、ポリシーを実現するためには多くの方々との対話が必要になるという観点から入れたものです。ＡＩが社会に実装されて、人権や倫理にも配慮してより広く使われていくためには、直接のお客さまだけではなく、サプライチェーン全体にわたるステークホルダーの意見も踏まえながら、常にポリシーを見直していくことが必要だと考えています。外部有識者、業界団体やアカデミアとの対話も行っています。

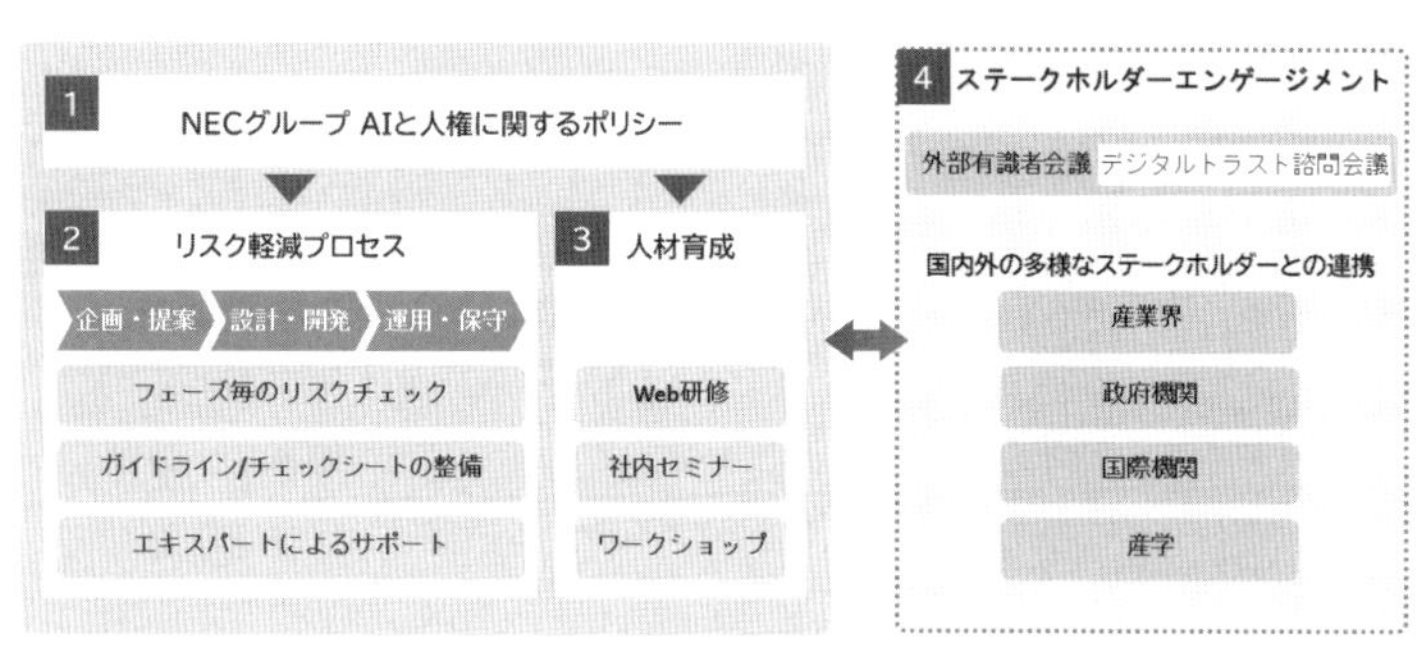

ポリシーの実践体制

ポリシーの実践体制

このポリシーを実践するために、リスク軽減プロセス、人材育成とガバナンス体制の構築を行っています。

リスク低減プロセスとしては、事業の企画段階から設計・開発、運用保守までの各フェーズで、ガイドラインやチェックシートなどでリスクをチェックする仕組みを設けています。お客さまへの提案以前にリスクチェックを実施し、懸念がある案件に対しては、技術部門、法務・コンプライアンス部門、デジタルトラスト推進統括部のエキスパートが連携したリスク対策チームによるレビューや解決策のアドバイスを行っています。そして、さまざまな案件について検討する中でノウハウを蓄積して解決策の標準化、テンプレート化を行うなど対応力を強化しています。

人材育成では、ポリシーに基づいた適切な行動が取れるように教育研修などを行っています。また、外部有識者会議として、法律や人権、サステナビリティの専門家によるデジタルトラスト諮問会議を設けているほか、産業界、政

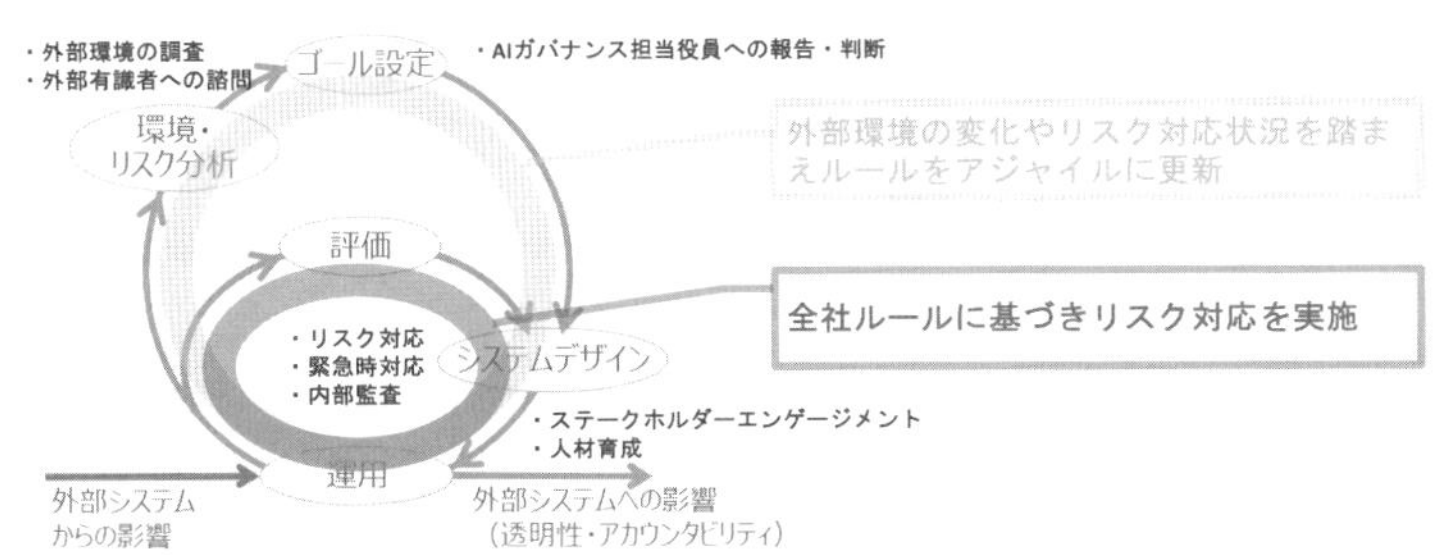

アジャイルガバナンス体制のイメージ

府機関、国際機関、大学等、社外の有識者や関係機関と対話・連携を積極的に行い、その知見を取り込んでいます。

加えて、ガバナンス体制としては、経済産業省が２０２１年７月に発表した「ＡＩ原則実践のためのガバナンス・ガイドライン」に基づいて、環境の変化に応じたアジャイル型のガバナンス体制を整備しています。

このポリシーを基に、リスク低減プロセスを実施した事例をいくつか紹介します。

金融機関における与信判断

業務効率化のため、ＡＩ技術を利用して金融機関における与信判断の一次審査を行うシステムのリスク検討です。さまざまなリスクが考えられますが、たとえばポリシーの①公平性の観点からは、ＡＩの出力結果が性別、年齢等による不当な差別を行わないことが求められるため、ＡＩの企画、開発、運用の各フェーズにおいてリスク管理を行うことが必要となります。具体的には、差別を助長するおそれのある性別、年齢等のデータをＡＩの学習に使用しないこと、学習済みＡＩ

モデルに性別、年齢等による偏りがないか専用の調査ツール等で確認するとともにその結果を金融機関にも説明し、必要に応じて是正すること、さらに与信の最終判断を金融機関の職員が行う運用となっていることに加え、その場合でも期間の経過等により職員がＡＩの判断をそのまま鵜呑みにしてしまわないように社内規程、マニュアルを整備することなどによりプロジェクトを進めることにしました。

体表温測定技術等によるオフィスの感染予防

オフィスにおける感染症予防のため、オフィスのエントランスに専用のカメラを設置し、各従業員の入退勤時の体表温度を測定し測定結果を一定期間記録するシステムのリスク検討です。この事例においてもさまざまなリスクが考えられますが、たとえばポリシーの②プライバシーの観点からは、体表温度データは個人のプライバシーに関する情報と考えられるため、対象となる感染症の潜伏期間を大幅に超えて保存しておくことはポリシーの理念に反することとなります。そこで、各従業員のプライバシーを尊重して、各従業員の体表温度の記録データの保存期間は３週間を超えない期間とすることなどによりプロジェクトを進めることにしました。

カメラによる人流分析

街の人の流れをカメラで撮影し、性別、年代、移動方向等を人流分析技術で統計化、可視化して街の活性化を図るシステムのリスク検討です。なお、カメラで撮影した映像など個人を特定可能な情報はシステム上に記録せず、即座に破棄することとしています。この事例において

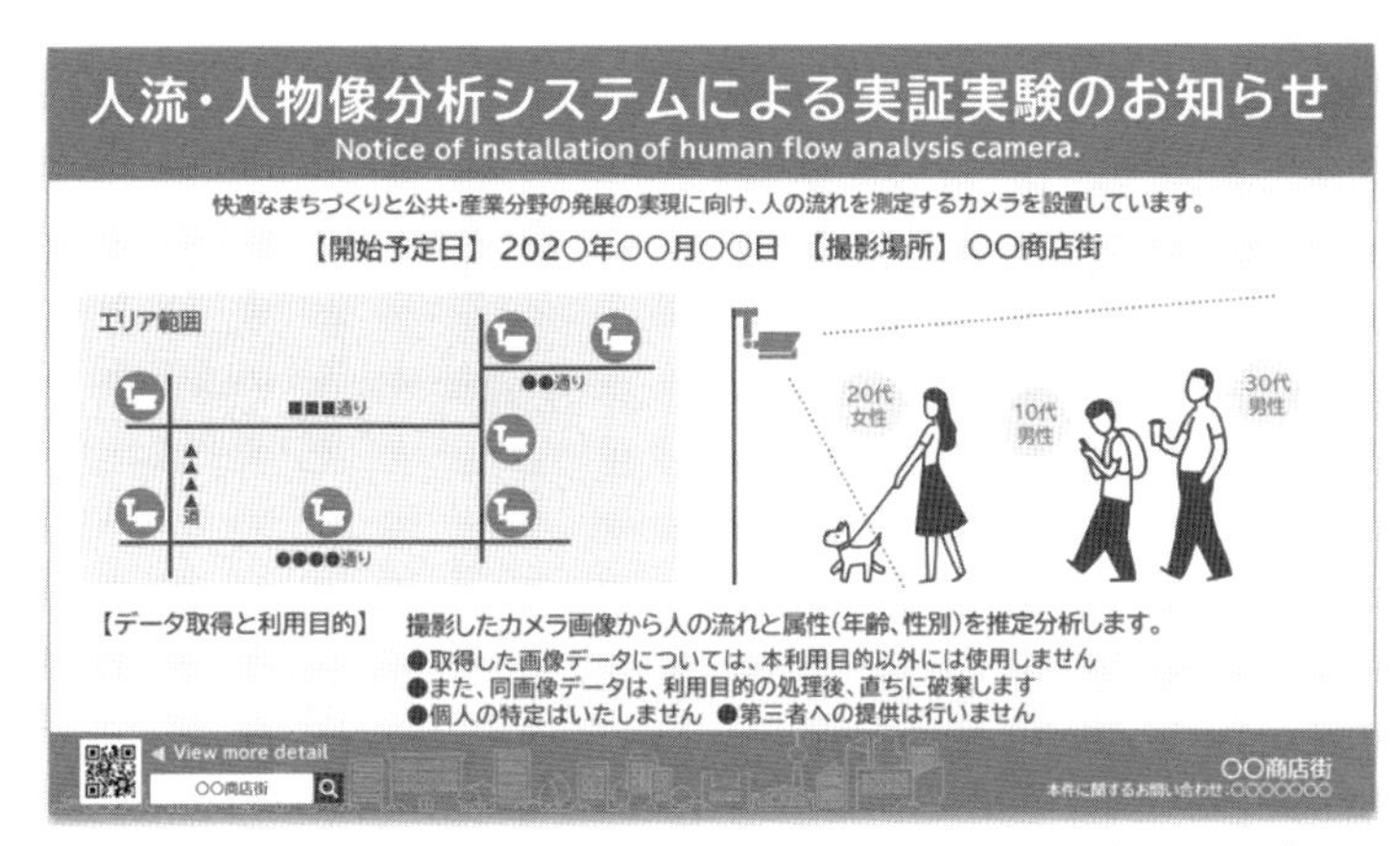

提供しているデザインサンプルの例

もさまざまなリスクが考えられますが、たとえばポリシーの③透明性、④説明する責任の観点からは、通行する人々がカメラの設置場所に気が付かない、カメラの存在に気が付いても何のデータを取得してどのような取り組みを行っているかがわからないといったリスクが考えられます。そこで、カメラ設置場所付近に、歩行中でも取り組みの内容がぱっと見てわかるようなイラスト付きのポスターを設置するとともに、カメラの設置場所や向き、カメラで取得した映像データの処理等の詳細はQRコードなどから閲覧できるウェブページに掲載してわかりやすい説明を行うことや、撮影の1カ月前に街のホームページ等に事前説明を掲載することなどによりプロジェクトを進めることにしました。また、⑤適正利用の観点から、AIシステムの運用主体であるお客さま向けに、カメラ設置場所付近に掲示するポスターのデザインサンプルを提供し、来街者へのわかりやすい説明を実施いただくためのサポートもしています。

ここで説明したリスクやその軽減策はほんの一部であり、いずれの事例においてもリスクの特定、評価、管理を精緻に行っています。ポリシーの価値を実際のプロジェクトのリスクの判断基準にまでブレークダウンし、ポリシーの理念に沿ったＡＩの社会実装がなされるよう、社内プロセスも整備しています。もう少しかみ砕いて言うと、①ポリシーの理念を、実際に技術を運用する現場に当てはめたときに、何をリスクとして特定するのか、リスクにはどのような危険性があるのか（評価）、そのリスクをどうすれば軽減できるのか（管理）、を知見として文書化・蓄積・共有すること、②事業活動の中で常にリスクチェックが行われるようにプロセスに落とし込むこと、③チェックによりリスク判定されたものは、専門家への相談と対策を経てリスクを軽減させる＝技術を安全に使っていく仕組みにしていくということです。

技術を適切に使うことは企業にとっての重要な責任であり、ＡＩ利用による人権侵害リスクという新しいリスクに対し、さまざまな検討や議論を行い、実践を通じて知見の蓄積を行いながら活動を行ってきました。事例では結論だけをシンプルに記載していますが、いずれの事例においても一定の議論を経たのちに解決策を導いています。

技術を適切に使うためのプロセス整備においては、知見・経験を積み重ねていくことはもちろんですが、一度確立したリスク認識やプロセスであっても、技術や環境が変化すれば対応も変化・アップデートさせていく必要があります。このことを意識し、日々蓄積を重ねながらリスク軽減の活動を行うことが重要です。

ポリシー策定とこれから

ポリシーを策定したことの効果としては、グループ企業全体のＡＩ利活用のゴールを明確化したことにより、社内外でＡＩ倫理に関する取り組みを理解しやすくなったことが挙げられます。これにより、グループ内でリスク低減プロセスを構築したり、人材育成教育を行ったりする際にスムーズに行えるようになったと考えています。また、社外でも、人権を重視するお客さまや、人権リスクが起こり得る事業を検討しているお客さまの多くに、このポリシーを策定していることの価値を感じていただけています。

そして、私たちを取り巻く環境が変化した場合は、ＡＩ利活用のゴールとして設定したポリシー自体も見直す必要があると考えています。この環境の変化には、たとえば、生成ＡＩなどに代表される新たな技術の登場などが含まれます。生成ＡＩによる環境変化では、「偽情報（ハルシネーション）」「著作権侵害」等といったリスクが大きくクローズアップされました。これらの新たなリスクに関しても、我々のポリシーにどのような影響を及ぼし得る（または及ぼすものではない）のかを注意深く検証する必要があります。そして今後の環境の変化に合わせて、必要に応じてポリシーを見直すなど、ＡＩと人権の活動を見直し続けることが重要です。そういった考えや活動も、ポリシーの理念を実践し続けるために必要なことだと考えています。

第6章

デジタルエシックス活用のためのフレームワーク

Invitation to Digital Ethics

第3章でデジタルエシックスコンパスを紹介しましたが、課題によっては別の検討方法もあわせて適用することも有効でしょう。この章では、デジタル領域に限らず倫理的意思決定を行う方法から、特定の技術の実施可否を判断するフレームワークまで4つのメソッドを紹介します。エシックス活用には、固定化した規則による統制ではなく、自律的で状況に応じて見直し続ける〝生きたルールとガバナンス〟が求められますが、それを実現するためのガイドとして参考にしていただければと思います。

倫理的意思決定のためのフレームワーク

多くの企業に倫理上のアドバイスをしているほか、スタンフォード大学で倫理の最先端の講座を持つスーザン・リオトー氏は、著書『倫理の力』において、「倫理は、完璧を求めることではなく、非難の矛先を見つけることでもなく、問題解決のアプローチを身に付けるためのもの」と説明しています。同時に、倫理を身に付けることは、起こり得る判断の過ちから立ち直り、回復するための強固な基盤にもなると主張しています。また、利害関係者と倫理的な意思決定を行う上では、「透明性」「インフォームドコンセント」「ヒアリング」の3つの行動が重要となり

倫理的意思決定のためのフレームワーク

	キーワード	問い	問いの補足説明
問1	原則	自分にとっての原則は何か？	個人として、組織の一員として、あなたはどのような人間で、どのような立場を取るのか？
問2	情報	これを判断するために必要な情報を所持しているか？	既知の情報と知るべき情報のギャップに存在する重要な情報は何か？
問3	利害関係者	私の意思決定にとって重要な利害関係者・物は？	あなたの判断に影響を与える、あるいは影響を受ける人や物は何か？
問4	影響・結果	この判断から生じ得る影響や結果は何か？　短中長期的に何が起こり得るか？	判断する際に、現在と未来への影響を考慮したか？

出所：『倫理の力』スーザン・リオトーを基に作成

ます。これをリオトー氏は「倫理の三本柱」と呼んでいます。

同書において、リオトー氏が提唱している倫理的意思決定のためのフレームを紹介しましょう。上の表に挙げた4つの問いに沿って課題を検討するこのフレームワークは、企業だけでなく、政府やさまざまな組織、個人にも有効です。特に、グレー領域が多い先端領域において、選択肢を二者択一にして安易に単純化してしまうことを防いでくれます。

それぞれの問いについて、留意すべき点を挙げておきます。

問1　原則

原則を考えることは、自分が何者なのかを定義することです。私たちに期待されることと、私たちが他の人にどう行動することを期待するかを表明するものです。原則は、判断が揺らぐときに、最初のよりどころとなってくれるでしょう。

ただし、原則は「休憩室は禁煙」といったルールではありません。複雑な問題の筋道をつけるための指針であり、原則があるからこそ一貫性のある選択ができるのです。リオトー氏は、5～8程度の原則を考えてみることを勧めています。

問2　情報

ここで指す情報とは、「ある製品・サービス・施策を進めるか否かを判断するための情報」を意味します。先端領域では特に、倫理的判断をするために必要な情報と保有している情報のギャップが大きいことがあります。このギャップに対応する手段は、質問・傾聴・観察・調査を繰り返し、自分の判断を修正することです。次の項目は、ギャップを検討するのに参考となる問いです。

- 複数の情報源から情報を得て、ほかの人の考え方と比較をしたか？
- この先、新たな情報が公開される可能性はあるか？　それが自身のこれまでの理解に変化をもたらす可能性はあるか？
- すべての事実を漏れなく知ろうとしているか？　偏った見方や手っ取り早いイエス／ノーの判断の裏付けになるような情報だけを取り入れようとしていないか？

問3　利害関係者

利害関係者とは、「ある判断、または状況に影響を与える、あるいは影響を受ける人物、組織、

2×4アプローチの手順

ステップ1	最も重要な原則を2点挙げる
ステップ2	最も重要かつ取り返しのつかない結果を2点挙げる
ステップ3	最も重要な力を2つ選ぶ
ステップ4	代替案を2つ挙げる

出所：『倫理の力』スーザン・リオトーを基に作成

物、要素」を指します。利害関係者には人だけでなく、生態系、物体も含まれます。判断に影響を与える利害関係者が誰／何なのかを識別することが必要です。

問4　影響・結果

何かを判断するときに、短期、中期、長期的影響を、判断する時点で考えます。その後は、経過を観察し、新たな状況に対応していきます。下記の3つの観点から問いかけることで、その影響と結果を評価することができます。

・その判断がもたらす、重大かつ取り返しのつかない結果とは何か？
・その判断によって、どんなチャンスが失われる可能性があるか？
・もし自分がこの判断に直接影響を受けたとしたら、どう感じるだろうか？

さらに、リオトー氏はこれまで説明したような一般的なアプローチに加えて、緊急時の意思決定の方法として、上の表のような2×4アプローチを提唱しています。救急医療におけるトリアージのように、時間が限られており、倫理的判断のために追加の情報やステークホルダーの意見が必要ではない時、生じる結果がそれなりに予測しやすいとき、ほかの誰かの代わりに同意をすることにはならないときに効果を発揮します。

2×4アプローチでは、どのステップでも2つの結論を出すことが要求されます。それは、自分の意思決定を検証するために、若干の幅を持たせるためです。

リオトー氏の思想やフレームワークは、著書『倫理の力』に詳しく述べられています。また、リオトー氏のお話を本章末に掲載していますので、ぜひご一読ください。

変化を起こし広げていくトランジションマネジメント

なぜ私たちはトランスフォーメーションを進めようとするのでしょうか？　明治大学専門職大学院ガバナンス研究科専任教授の松浦正浩氏は、その理由を「そうしないことには人間社会が持続可能ではないから」と説明します。社会の仕組みには、私たちに押し付けられたものというよりは、私たちの日々の行動パターンが仕組みになったものが多くあります。たとえば、化石燃料への依存をやめられないのも、これまで積み上げてきた行動パターンに基づく仕組みといえます。このようなパターンを変えていかないと人間社会を持続できない、だからトランスフォーメーションの必要性があり、そのための方法を獲得する必要があるのです。企業や社会のＤＸにおいても、状況は同じです。

トランスフォーメーションは新しい仕組みを社会に入れることですから、自ずと古い仕組みと衝突します。新しい仕組みを導入するために、古い仕組みをどのように変化させていくか。松浦氏は、変化のための具体的な方法論を「トランジションマネジメント」として提唱しています。たとえば、「我が社もＤＸを進めるべきだ」と声高に主張しても、周囲の人々がその気でなければ一蹴されて終わってしまいます。「上から目線の押し付け」ではなく、「実践を伴った勧誘」を行う。たとえば、まずは自分自身や賛同者で新しいツールを導入してみて、それが便利なことを周りにアピールし、周囲の人たちに自分も使ってみようと思わせて仕組みを変えていくことが、このマネジメントの目的です。

松浦氏が著書『トランジション「社会のあたりまえを変える方法」』で提唱するトランジションマネジメントの概略を紹介します。

トランジションマネジメントは、次ページの表のように４つのステージから成り、それぞれのステージはいくつかのフェーズに分かれています。そこで行うことを順に挙げてみたいと思います。

トランジションマネジメントのステップ

実行する	**ステージ4**	フェーズ14	ときどき見直す
		フェーズ13	とにかく続ける
		フェーズ12	(場合によっては)新しい活動を始める
		フェーズ11	フロントランナーの"推し活"をする
		フェーズ10	「参加疲れ」を回避する
仲間を集める	**ステージ3**	フェーズ9	フロントランナーたちの考えをまとめる
		フェーズ8	未来のビジョンを共有する
		フェーズ7	「トランジションアリーナ」を開く
計画を立てる	**ステージ2**	フェーズ6	フロントランナーを見つける
		フェーズ5	未来の姿を決める
		フェーズ4	Xカーブを作成する
問題を定義する	**ステージ1**	フェーズ3	目標年次を決める
		フェーズ2	「テーマ」を決める
		フェーズ1	「規模」を決める

出所:『トランジション』松浦正浩

ステージ1：問題を定義する

まず、私たちがトランジションを起こす対象を言語化します。

次に、規模を決めます。対象は企業全体なのか、特定のプロジェクトなのか、それぞれのスコープに合わせて現実的な規模を決める必要があります。トランジションでは、まずは活動の規模を現実的な地域範囲にとどめる手法がよく取られます。

続いて、テーマを決めます。たとえばＤＸでもさまざまなテーマが考えられますが、「支払伝票のペーパーレス化」のように実現できるテーマを設定することが重要となります。

そしてステージ1の最後に、目標年次を決めます。とはいえ、10年先のことを正確に予測することは不可能です。深刻に考えず、およそ○年先といった形で決めます。

ステージ2：計画を立てる

テーマを決めたら、トランジションの過程を想像してみましょう。このとき、オランダ・トランジション研究所（ＤＲＩＦＴ）代表のダーク・ローバック氏らが提唱した「Ｘカーブ」（次ページの図）を利用すると、アイデアの整理がしやすくなります。

Ｘカーブは、新しい仕組みが広まっていく過程と、古い仕組みが解体されていく過程を、2つの線で描いたものです。この上に、その過程で衰退するものや未来の姿を書き込むことで、トランジションの姿を整理できます。図の右上には、現実的に達成できる未来の姿を描き、左上には現在の社会の仕組みや制度で、障壁となっているものを書き込みます。次に左下に未来像

トランジションの過程を表すXカーブ

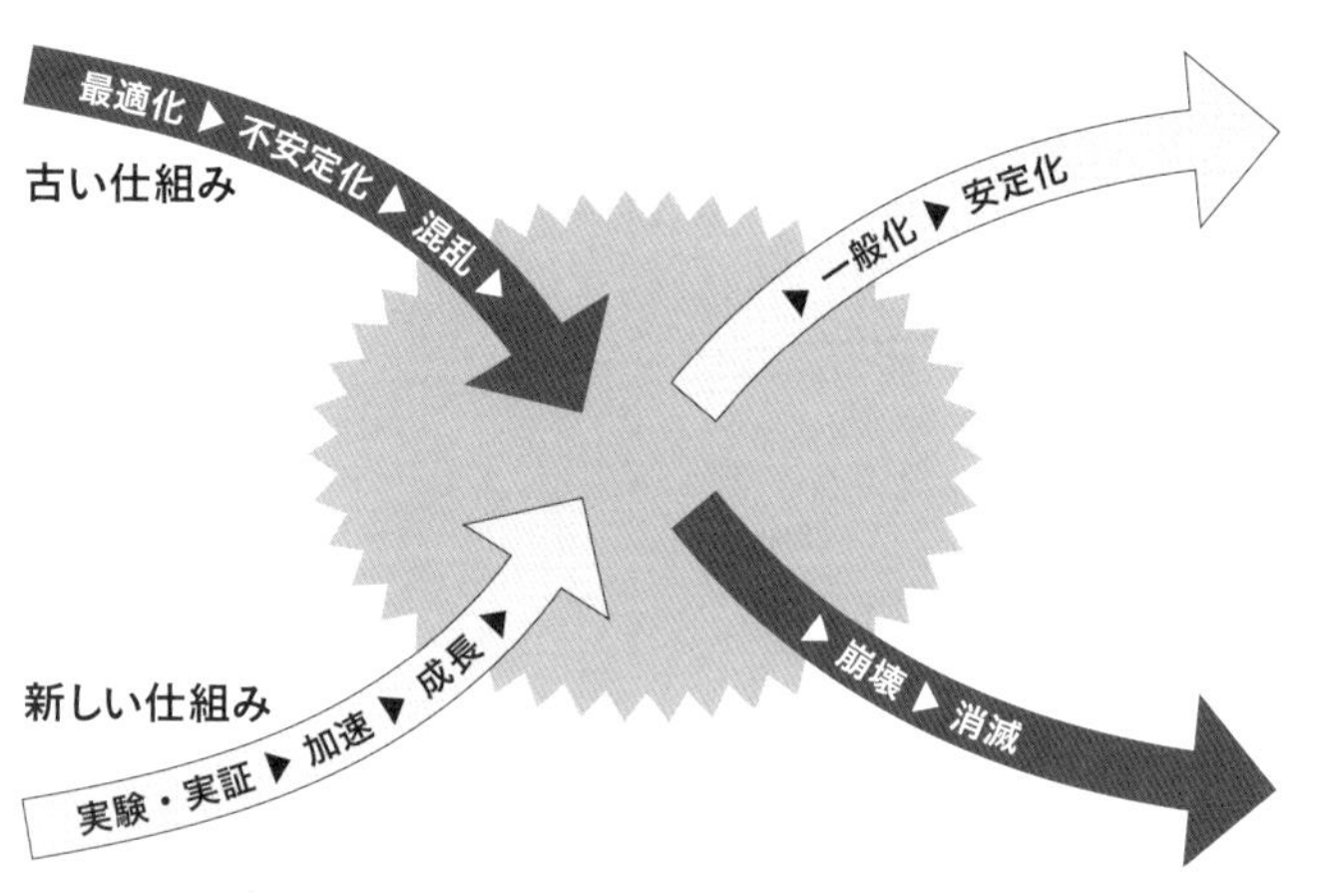

出所:『トランジション』松浦正浩

を先取りしている人・しようとしている人、いわゆる「フロントランナー」を見つけて、その活動を書き込みます。フロントランナーの後ろを追随してくれるように訴えかけていくことが、トランジションマネジメントの要です。

ステージ3:仲間を集める

一緒に社会を変えていく仲間を集めます。まず、フロントランナーの人たちに集まってもらい会議(トランジションアリーナ)を開きます。発信力を持っている人にも参加してもらうことが重要です。会議では、「こんなトランジションを進めたい」という意思を表明し、Xカーブの右上、左上、そして左下に何を入れられるか、議論してもらいます。未来に向けた先取り行動を拡大波及することこそが、会議の目的です。この会議は1回でも複数回でも構いません。会議を行ったら、開催報告・実施報告書のようなものを作り、フロントランナーたちが描いた共通の未来像を言語化します。

ステージ4：実行する

文書を作って終わりというケースもよく見られますが、これは参加疲れを起こしているといえます。参加疲れを起こさせず、実践を継続することこそが重要です。

狙った未来像に到達するために、今後拡大波及させていきたい活動はXカーブの左下に記載されています。そこには、すでにフロントランナーたちがやってきた活動が含まれているはずです。そこで、この方々の活動をより活発にする「推し活」をしていきます。たとえば助成金の獲得、活動の場を提供すること、協力者を斡旋したりすることです。

ここでエシックスの観点から注意しなければならないことがあります。あなたが起こそうとしているトランジションは本当に人々のためになるのでしょうか？　自分と少数のフロントランナーのエコーチェンバーで出来上がった、独りよがりの未来像かもしれません。トランジションに関わるのであれば、自分は極端に偏っているかもしれない、間違っているのかもしれない、と常に自省する姿勢を身に付けていくことが必要不可欠となります。

また、会議の中で、誰もやっていない新しいアイデアが出てくるかもしれません。それが社会を変える力を持ちそうなのであれば、新規で立ち上げるのも一案です。

重要なのは、とにかく続けることです。トランジションには時間がかかります。気長に活動をすることが重要です。

最後に、ときどき見直すことが必要です。Xカーブを見直して、どの程度進捗したのか、客観的な立場からときどき振り返りの会議を行います。

ここまでで見てきたように、トランジションマネジメントは、自主的に活動しているフロントランナーの方々を、それらが社会の主流へと拡大波及していくように「推す」ことが肝です。トランジションのフレームワークは松浦氏の著書『トランジション』に詳しく説明されています。また、その思想について、ダーク・ローバック氏のお話を本章末にまとめています。ぜひご一読ください。

DX推進を支えるデジタルエシックス・サクセスプログラム

より参加型のデジタル活用を進めるために、民間だけでなく、政府や地方自治体もソーシャルメディアを含めた市民の意見を偏りなく拾い上げることが増えています。しかし、諸外国と比較すると、日本ではまだまだ官民ともに、デジタル活用に対して保守的な傾向が見られます。

その姿勢を転換するにはデジタルエシックスの活用が有効であることは、本書で述べてきたとおりです。言い換えれば、デジタル活用やＤＸの構想策定から、実際の施策の設計、実装、運営までの一連の流れにおいてデジタルエシックスを実践することが重要施策の一つとなります。本節では、ＮＥＣが提唱するデジタルエシックス・サクセスプログラムを紹介します。

デジタルエシックスを適用してデジタルの力を引き出し、利害関係者と社会のデジタルサクセスを実現しようとしても、属人的な取り組みでは、一過性の取り組みになりがちです。成果を得るためには、組織内で継続的かつ持続的に取り組むことが不可欠であり、そのためには、組織としてプロセスを整備して適用することが必要です。

デジタルエシックス・サクセスプログラムは次の５つのプロセスから成り立っています。デジタルエシックス適用の各プロセスの概要を紹介します。

①組織としてのデジタルエシックスの正しい理解　―なぜ、デジタルエシックスが必要なのかを組織として理解する―

組織としてデジタルエシックスを活用して、デジタル戦略やデジタル施策の有用性を向上するためには、まずデジタルエシックスの内容と必要性を理解することが重要です。新しい思考を実践するためには、正しい理解が欠かせません。組織マネジメント層やそのトップを含めて正しい理解が必須です。これはデジタル活用に向けた思考様式の変革でもあります。デジタル活用と組織変革には密接な関係があるため、デジタルエシックスは組織戦略にも影響を与えま

「デジタルエシックス・サクセスプログラム」フレームワーク

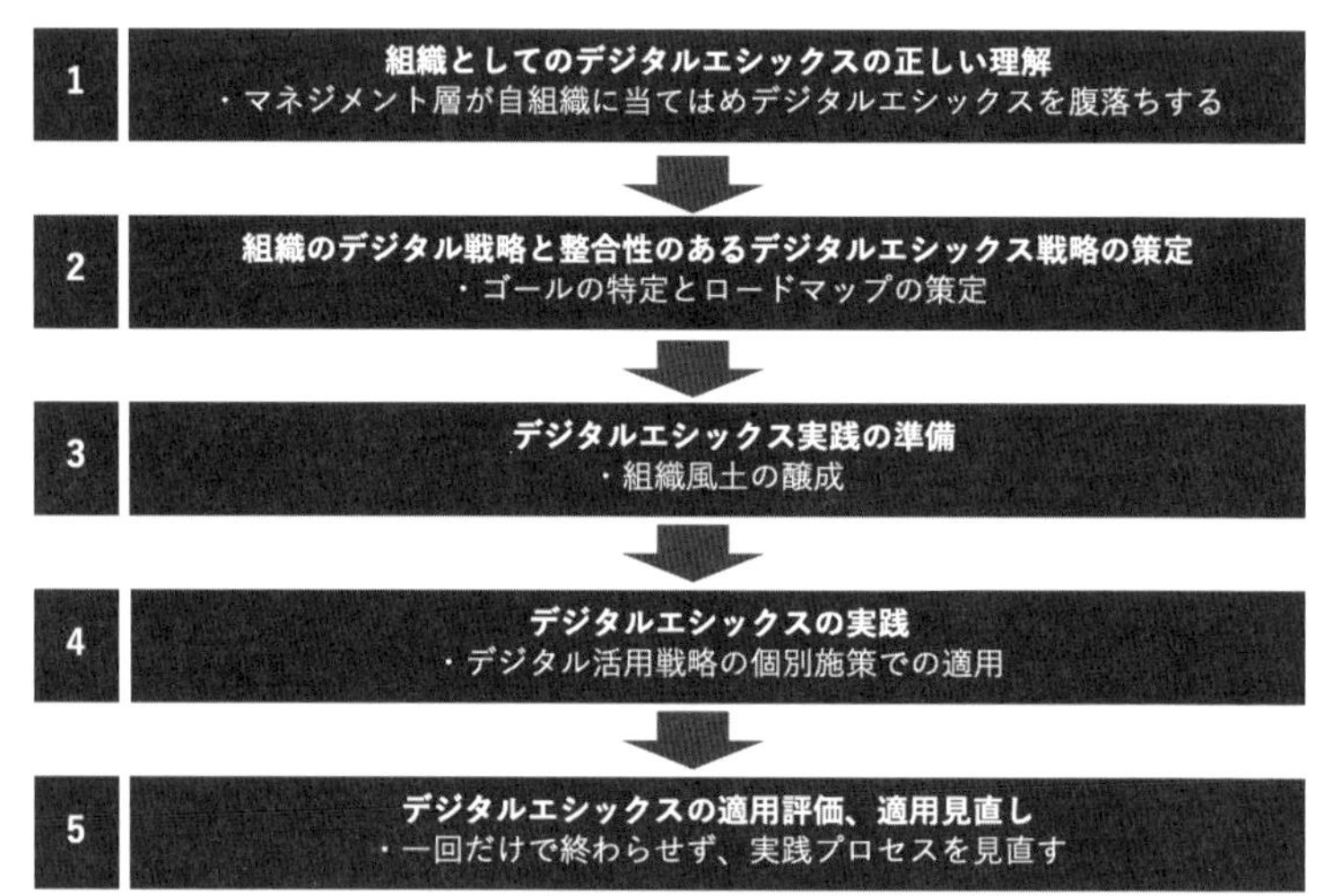

出所：「デジタルエシックス・サクセスプログラム」井出昌浩

す。

具体的には、自組織のデジタル戦略・施策を理解した上で、そもそもデジタルエシックスとは何か（WHAT）、なぜ、我々の組織にデジタルエシックスの活用と適用が求められるのか（WHY）を理解します。特に、どのようなリスクと機会があるのかを、デジタルエシックスの考え方や事例を通じて、推進するメンバーだけでなく、組織マネジメント層、組織構成メンバーが理解を深めていくことが重要です。自組織をイメージして、その適用に腹落ちし、自らの役割と、行動と思考の様式について納得することが必要なのです。

②組織のデジタル戦略と整合性のあるデジタルエシックス戦略の策定

デジタルエシックスを活用した組織ゴールを特定し、具体化します。自組織のデジタル戦略あるいはデジタル施策から鑑みて、初期段階でデジタルエシックスを適用する範囲（デジタル戦略・施策領域、事業領域、組織範囲、拠点範囲など）を決めます。特に、デジタルエシックスの適用自体が目的とならないように、適用対象のデジタル戦略・施策を特定し、実現したいゴール、つまり、低減したいデジタル活用のリスク、あるいは創出・増大したいデジタル活用の機会の具体化が欠かせません。ゴールを定義することによって、達成状態を示すＫＧＩ、達成状態を実現するための取り組みを評価するＫＰＩが定義でき、デジタルエシックスの取り組み状況を評価することができます。

次に、デジタルエシックスの実践ロードマップを策定します。組織でデジタルエシックスを実践するためには、タスクに展開して実行計画を策定し、周知することが重要です。デジタル戦略が存在しているのだから、その実行段階でデジタルエシックスを実践するはずだという淡い期待は持たず、デジタルエシックスの思考、つまり何を対象に何を考えるかを具体的に展開して、デジタル戦略のロードマップとあわせて具体化するとよいでしょう。

ロードマップでは、デジタル戦略、デジタル施策のロードマップと整合性を取りながら、マイルストーンを定めて、デジタルエシックスのタスクの何を、誰が、いつ実施するのかを具体化します。そしてそのロードマップに対して、組織マネジメントや関連部署と合意形成を図るとともに、適用組織に周知を図ることが必要です。

③デジタルエシックス実践の準備

まず、デジタルエシックスの実践ポリシー（行動指針）、実践プロセス、実践組織の設計と組成を策定し、組織内に周知します。デジタルエシックスは、プロセスやタスクを定義して実行すればうまくいくわけでありません。組織として重要視する価値観を具体化して、実践ポリシーを言語化することが重要です。この言語化と周知によって、適用組織のメンバーがデジタルエシックスを実践する指針を理解できるようになり、より実践的な活動となります。

次に、デジタルエシックスを実践していく組織風土を醸成します。デジタルエシックスの実践ポリシーは、実践プロセスとともに、説明会や会議、広報誌などを通じてことあるごとに対話を行い適用組織に周知します。最も望ましいのは、デジタル戦略やデジタル施策とあわせて説明・対話することです。それによって、何のためにデジタルエシックスを適用するのか、デジタルエシックスの適用によって何が変わるのか（何を変えないといけないのか）を具体的に理解でき、より実践の準備が整います。

④デジタルエシックスの実践（デジタル活用戦略策定、個別施策での適用）

策定したロードマップ、設計したプロセスに基づき、デジタル戦略・デジタル施策を実行する中でデジタルエシックスを適用・実践していくことになります。ここでは、デジタルエシックスの適用に対するマネジメントが重要です。マネジメントにおいては、デジタルエシックスの適用状況と期待した成果を上げているかどうかの把握、適用で発生する課題を特定して、タイムリーに共有、対処していく必要があります。特に、この段階では、デジタルエシックスの具体的な理解、具体的な実行について相談が多数寄せられるでしょうが、それを一つ一つ、議論しながら理解して解決していくことは非常に重要な歩みであり、これにていねいに対応することが組織のデジタルエシックス適用を加速させることにつながります。

さらに、利害関係者と、その要求・ゴール、コンフリクトを特定します。デジタルエシックスの適用で重要となるのは、利害関係者をしっかり特定し、その要求と制約を分析した上で、デジタル活用のゴール、実現内容、実現方法等について合意形成を図ることです。デジタル活用における利害関係者間のコンフリクトは何かも踏まえて、デジタル活用のリスク、あるいは機会創出・増大は何かを分析し、デジタルエシックスの思考様式を活用して合意形成のためのタスクに取り組み、その実施結果から有用性や課題を評価して、関連タスクの計画を検討して実行していきます。

⑤デジタルエシックスの適用評価、適用見直し

デジタルエシックス適用の効果（利害関係者の信頼度、組織のデジタル活用度、業績への貢献度など）と課題を特定します。デジタルエシックスの適用について、ロードマップで計画している1年もしくは半年ごとのタスクに従い、ゴール定義で設定したKGI、KPIから、適用の効果を評価します。特に、初期段階では、有用性だけでなく、適用の課題をしっかり特定して、組織としてデジタルエシックスを継続的に実践していくのを阻む課題は何か、その課題解決のために何をすべきかを分析して、対応することが重要です。

また、適用組織でインタビューやアンケート調査などを実施して、どのような行動や思考の変容があったかを特定することは、ＤＸで求められる組織文化の変革とデジタルエシックスとの関係性を特定するためにも重要な取り組みです。ぜひ、このような評価を重要視して、実行したいものです。

評価を終えたら、実践事例の体系化、組織内周知をします。デジタル活用のさらなるリスク低減と機会創出・増大のため、デジタルエシックスの適用継続や適用組織の拡大に向けて、実践結果（目的、適用組織、取り組み内容、取り組み結果、今後の課題、成功点・反省点など）を体系的に分析し文書化して、組織の知識とすることが欠かせません。その結果は、組織マネジメント、適用組織、次の適用組織に説明し、トップマネジメントを含めて組織でしっかりと理解して、継続的な実践環境の強化を図ります。日本の組織は、取り組みの結果を体系化や文書化せず組織知にできていない場合が多く、それが組織力の向上を阻んでいる要因の一つとなっています。ぜひ、ていねいに分析と文書化を実施していただきたいと思います。

最後に行うのは、デジタルエシックスの実践プロセスの見直しです。組織としては１回だけ実践し、後は組織構成員の倫理感と意思に任せるのでは、デジタルエシックスという思考・技法の良さは発揮できません。今後のリスクや機会に対応できず、デジタル活用の成熟度も向上せず、効果も獲得できないことになってしまいます。ですから、組織としてのデジタルエシックスの継続的かつ持続的な実践は必須です。実践の取り組みを貴重な機会とし、その結果から、デジタルエシックスの実践プロセス、テンプレート、心得、ＦＡＱなどを整備して、組織知として蓄積・共有します。それを生かすことで、今後のデジタルエシックス実践の有用性の向上と効率化を図ります。また、組織知を高めることで、個人に依存しない組織としてのデジタルエシックス実践の段階にステップアップして、変化するリスクと機会にも継続的に対応でき、組織のデジタル活用成熟度も向上して成果を享受できるようになります。

本節で紹介したデジタルエシックス適用の５つのプロセスを参考に、ぜひ、自組織に合わせて具体化した上で、試行錯誤しながらデジタルエシックスを実践してほしいと思います。その過程では、あえて「迷子」になることも必要です。台湾のデジタル担当大臣であるオードリー・タン氏は、芥川賞作家の上田岳弘氏との対談（日経クロステック２０２１年1月14日）において、ＡＩが進歩したときに最後に人間が考えることを聞かれ、次のように答えています。「主に考えられるのは迷子になること、迷子だと感じることです。台湾には『ウーニェン（無念）』という言葉があります。考えないという意味です。何も考えていないのではなく、心が無になっている夢の中のような状態（revery）、１つの可能性にこだわらず、色々な可能性を広げていく、といったことです」。迷子になることは一つの方法ですが、エシックスを考えることによって、組織のデジタル成熟度の向上を図りつつ、デジタル活用の成功を今まで以上に獲得でき、社会への価値提供の質も向上するのです。

ＡＩ分析の実施可否を判断するためのフレームワーク

実施可否判断フレームの策定

ＤＸ推進の重要なツールとしてＡＩを導入する例が増えています。本章の最後に、ＡＩ分析をするためのデータ利活用プラットフォームにおいて、デジタルエシックスに基づいて実施の可否を判断するフレームを紹介します。

ＡＩによるデータ分析では、インターネットの閲覧履歴、ＥＣサイトの利用履歴、スマートフォンやスマートウォッチなどによる行動履歴など、分析に利用できるデータは飛躍的に増加し、それを分析し活用するＡＩ技術も日進月歩を続けています。ニュースサイトでは閲覧履歴に基づいてパーソナライズしたニュース一覧が表示され、ＥＣサイトでは利用履歴に基づいたお薦め商品が強調されるようになっていますが、これらも程度の違いはありますがＡＩ分析を活用している事例といえます。

フレームの策定に当たっては、他社を含む実際の事例やＥＵをはじめとする諸外国のＡＩに対する規則等を検証しました。

まず、具体的なプロジェクトをベースに、ＡＩ分析を実施してよいかどうかを判断する一般的な枠組みを作れるかを検討しました。次に、ＡＩ分析を実施する際には、各ステークホルダーに対してどんな手続きを踏み、どういう関係性を構築するのが望ましいかを検討しました。

この検討では、ＡＩ分析においては、分析する側とされる側の間に、分析の方法、すなわち分析に利用するデータの範囲や分析結果の活用範囲について、認識の差が生じる可能性があることに着目しました。分析する側は、より高度なＡＩ分析を行い、その結果をより効果的に活用するために、これらの範囲を広く取りたがる傾向があります。一方、分析される側は、どのようなデータが取得されどのように利用されるのかについて事前情報をあまり持っていないため、この範囲を狭く予測する場合が多いのです。この差が許容できないほど大きければ、ＡＩ分析を行うのは望ましくありません。ただし、差が大きい場合でも、利用者への適切な情報提供などによって、その差を許容可能な範囲にまで縮められる可能性もあります。また、実施しようとする分析が社会的に許容される範囲に収まっていなければならないことは言うまでもありません。

しかし、この2つの差が許容されるかどうかは、条件によって大きく変わります。すなわち、誰が、どんな目的で、誰の、どんなデータを、どう分析するのか。そして、分析結果をどのようなことに活用するのか、それによってどんな影響が起こり得るのかといった条件です。同じ分析を行うにしても、公共目的なのか営利目的なのか、分析結果の活用が分析される人に回復

フレーム図

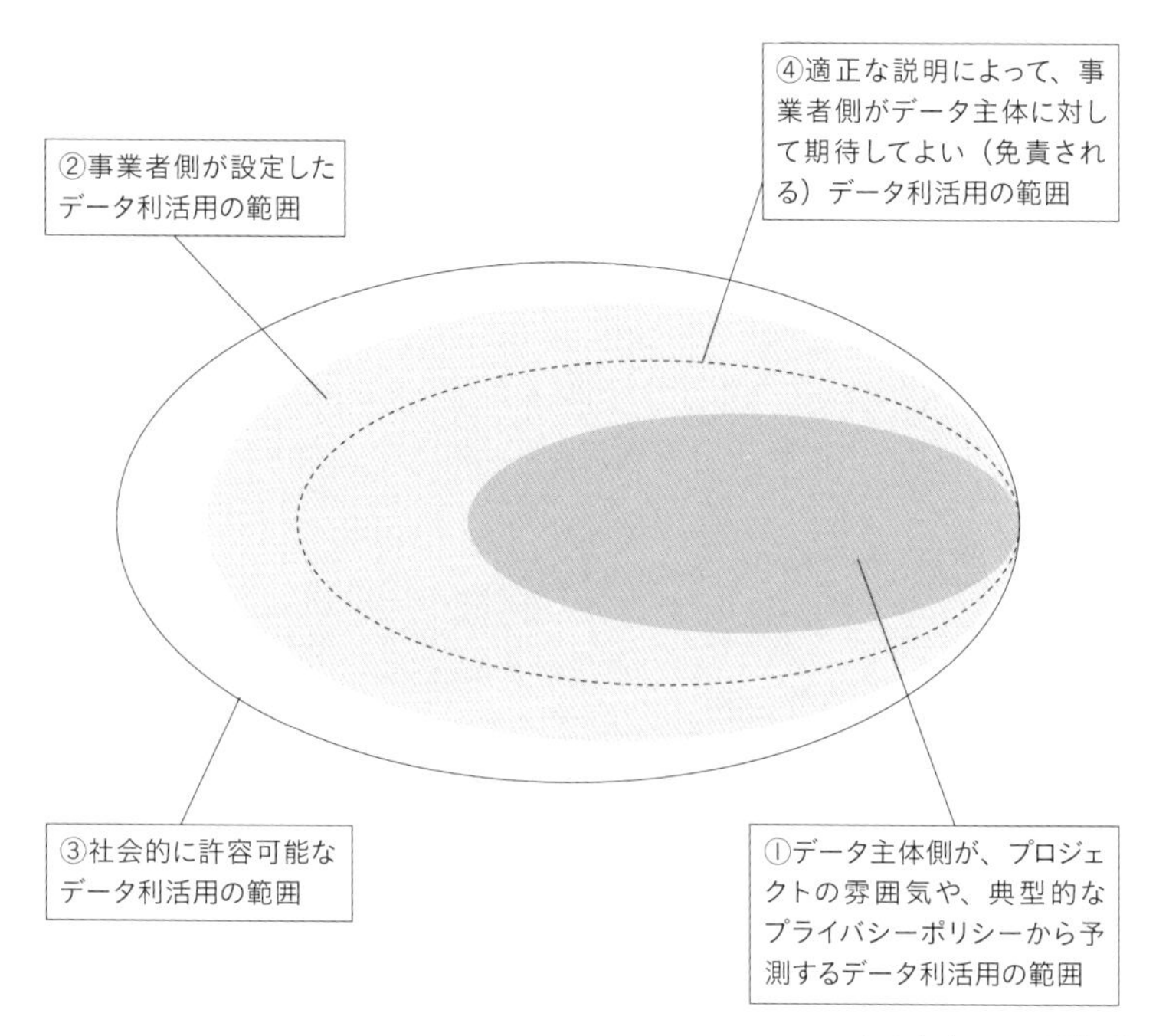

principledrive, NEC作成

不可能な影響を与えるかどうか、分析対象は希望者だけなのか、分析結果の活用は1回限りなのか永続して活用するのかといった条件の違いによって、認識の差が許容されるのか、分析を実施してよいかどうかの判断が変わってきます。

そこで、個々のAI分析プロジェクトについて、前記の条件を検討し、分析する側とされる側の認識の差はどれくらいあるのか、そして行おうとする分析は社会的に許容される範囲に収まっているのかの2点から、実施の可否を判断するためのフレームを策定しました。

判断には、次の４項目の範囲を表す図を利用します（右ページの図参照）。

①分析される側（プロジェクト利用者、データ主体）が予期、想定、予測、期待するデータ利活用の範囲（一番内側の楕円）

②分析する側（プロジェクト提供者、事業者）が設定している、実際のデータ利活用の範囲（中間の楕円）

③社会的、客観的に許容可能なデータ利活用の範囲（一番外側の楕円）

④適切な説明等によって、分析される側が認識できるようになるデータ利活用の範囲（破線）

この実施可否フレームは、次の３段階の手順で検討します。

手順１：実施しようとするＡＩ分析の内容を検討し確定する

・分析の目的の明確化
・分析の対象者（ＧＤＰＲ等では「データ主体」と呼ばれます）の確定
・分析を行うための利活用データの明確化、具体化
・被侵害利益（権利）の性質：分析対象者が侵害される可能性のある利益や権利
・分析の結果、明らかとなる評価事項の明確化、具体化
・評価事項を用いて目的を達成しようとした場合に、分析対象者が受ける影響

手順２：分析される側・分析する側が想定・設定するデータ利活用の範囲を検討

手順1の検討項目（具体的事例に則って埋める）

項目	内容
目的	
対象者	
利活用データ	
被侵害利益（権利）の性質	
評価事項	
影響の程度	

principledrive, NEC作成

・手順1の表も参考に、目的と評価事項の関連性と結び付きの程度、乖離がある場合はその程度を検討する。
・利用者からの依頼（要請）、信頼、期待の程度（目的から分析に利用するデータや評価事項を容易に予期できるかどうか等）を検討する。
これらを踏まえて、分析される側が予期、想定、予測、期待するデータ利活用の範囲と、分析する側が設定した実際のデータ利活用の範囲の関係を設定する。

手順3：分析する側が設定する実際のデータ利活用の範囲と社会的許容性を検討

・利活用データから評価事項を合理的に推測できるか、両者は納得感があるレベルの相関関係といえるかを通常人の感覚で検討する。
・目的の重要度に対して、評価事項とその結果を利用した場合の利用者への影響の大きさと、問題が

生じたときの回復可能性の有無、程度を検討する。

これらを踏まえて、分析する側が設定したデータ利活用の範囲と、社会的に許容可能なデータ利活用の範囲の関係を設定する。

このプロセスを行うことにより、フレーム図の①〜④の関係（包含関係）を明らかにします。①分析される側の予期する範囲と②分析する側の実際の利活用範囲の乖離が大きい場合には、利用者への適切な説明を加えることによって、④分析される側が認識できるようになるデータ利活用の範囲を②分析する側の実際の利活用範囲に近づける施策を取ることを検討します。
②実際のデータ利活用範囲が、③社会的に許容可能な範囲に収まっていることはプロジェクト実施の大前提になります。もし分析する側の設定した範囲がそれを超えてしまう場合には、実施を取りやめるか、②実際のデータ利活用の範囲を狭める必要があります。

マネーロンダリングの疑いがある取引の検知の例

このフレームを、具体的な事例に当ててはめてみた例を挙げてみましょう。

金融取引の高度化が進む一方で、金融犯罪も複雑化・巧妙化してきており、金融機関には膨大な取引情報の中から金融犯罪や不正取引を検知することが求められています。この過程を効率化・精緻化するために、ＡＩ分析を活用して各取引のリスクの程度をスコアリングする事例の検証です。

まず、手順1に沿って検討した結果、次ページのような表が得られました。

次に手順2です。目的と評価事項の関連性については、目的（マネーロンダリングの防止のための疑わしい取引の検知）と評価事項（各取引がマネーロンダリングかどうか）が一致しています。一方、利用者からの依頼（要請）、信頼、期待については、利用者は取引ごとに何らかの審査が行われていることは想像でき、また、マネーロンダリングについても社会問題として一定程度認識されていると考えられます。このプロセスから、マネーロンダリングの判定にAIを導入していることの告知が行き届いていれば、疑わしい取引の検知が行われていることも認識されていると見なせ、分析される側と分析する側の想定・設定するデータ利活用の範囲はほぼ一致します。

最後に、手順3です。利活用データから評価事項を合理的に推測できるかについては、送金・入金に関するデータ（取引種類、取引金額、取引目的コードなど）や居住地などの属性に関するデータと、取引目的がマネーロンダリングであるかどうかには、一定の相関関係があることが、過去の事例を踏まえてわかっています。。評価事項を評価することや、その結果の影響とのバランスが不合理ともいえません。そのため、利活用データから評価事項を推測することには合理性があると考えられます。また、目的の重要度に対する利用者への影響、回復可能性については、疑わしい取引を検知した際に金融機関の担当者にアラートが出されるのみであれば影響は大きくないといえます。一回の疑わしい取引で口座凍結のような影響の大きい決定が行われてしまうのであれば社会的に許容されにくいものになり得ますが、金融機関の担当者による人的判断が

マネーロンダリング検知の検討

項目	内容
目的	マネーロンダリングの疑いがある取引を早期に検知
対象者	口座開設者
利活用データ	送金・入金に関するデータ（取引種類、取引金額、取引目的コードなど）、居住地などの属性に関するデータ
被侵害利益（権利）の性質	内心の自由（送金・入金に関する行動）
評価事項	取引目的がマネーロンダリングかどうか
影響の程度	本人に対する働きかけはなし（疑わしい取引と判定された場合、直接的に送金停止などがなされるのではなく、金融機関の担当者による人的な判断が入ることが一般的）

principledrive, NEC作成

入るのであれば、影響の程度は大きくなく、悪影響の回復可能性も十分にあります。

以上のようにして、分析する側の設定する範囲が、社会的に許容される範囲を超えていないことを、検証プロセスとして実施して確認します。実施の可否決定について、このような検証過程を経ることが重要となります。

より多様な観点から検証するために

この実施可否判断フレームによる検証では、目的や対象の違い等によって、それぞれの許容範囲が大きく変わってきます。さらに、利用者（対象者）へのコミュニケーションや分析の結果の適用方法で可否の境界線を動かすことも想定しています。各段階において、ＡＩの分析をそのまま利用するのではなく、最終判断は人が行うなど、人が監視・介入することによって、実施可という判断

を下せるようになる場合も多いでしょう。

ＡＩ分析は単独で用いられることよりも、プロジェクトの一部として――ＡＩによる分析を活用しようとするプロジェクトにおいてはその中核として――利用されることの方が多い技術です。そのため、プロジェクト全体を評価するには、ここで紹介した実施可否判断フレームに加え、より多様な観点からの検証が必要になります。

今後は次のような周辺フレームの策定、運用段階における必要事項の検討・実装などを進める必要があると考えています。

・開発段階において留意すべき事項をまとめたガバナンス資料
・個人データの取り扱いに特化したチェックフレーム
・どのような対話や説明を行うことが考えられるかのメニューリスト
・適用結果に応じて、前記メニューからどれを採用して実装すべきかを記載した資料
・運用段階の制度設計と運用の仕組み作り

これらを相互に連関させつつ準備すれば、各プロジェクトにおけるＡＩガバナンスの大枠が完成することになります。今後、利用者（対象者）の認識や社会が許容する範囲も、ＡＩに関する技術の進歩や社会情勢の変化によって大きく変わっていくでしょう。また、これらの変化に対応するためには、フレーム自体もアップデートしていく必要があると考えています。

コラム

倫理的意思決定を行うために

スーザン・リオトー&アソシエーツ・リミテッド
創設者兼マネージングディレクター
スーザン・リオトー

テクノロジーの拡大とエシックスの重要性

私は企業弁護士としてキャリアをスタートしましたが、やがてテクノロジーが企業の活動の中で大きな役割を占めるようになってきました。テクノロジーには多くの利点がありますが、そこから多くの問題も生じています。さらに法律が、それらの問題の解決に全く追い付いていない状況も見てきました。そこで、企業内のエシックスのみならず個人のレベルにおいても、何かガイダンスになるようなものはないかと考え始めました。

こうして、新しいテクノロジーをどのように安全に、そして健全に使うかが私のテーマになりました。全ての新しいテクノロジーに対して「ノー」と言ってしまえば話は簡単ですが、それではイノベーションの可能性が閉ざされてしまいます。「イエス」と答えた上で、どう対応していくかを見いだすアプローチを取ろうとした結果、法律には書かれていないエシックスに着目することになりました。それ以来、複数の企業において、役員会や経営陣、そして現場レベルのチームなどに対して、エシックスを日常業務に統合し、文化として根付かせるための助言をしてきました。

エシックスは、今日において重要性が非常に高まっています。私たちが直面しているテクノロジーは非常に複雑になってきており、その影響も大きくなっていますが、個人がこういったテクノロジーを実際に使えるようになったという点が最も重要です。たとえば原子力潜水艦の登場も社会に大きな影響を与えましたが、誰でも造ったり利用できるようなものではありませんでした。しかし現在では、ＡＩのようなテクノロジーを、誰でも個人レベルで、スマートフォンからでも自由に扱えるようになっています。

もちろんそれによって恩恵がもたらされることも多いでしょう。たとえば医療診断がスマートフォンで行えるようになれば、それに助けられる人も多いでしょう。一方で、使い方によっては、悪意を持って偽りの情報を拡散したり、人々の意思の操作に政治的に使ったり、あるいはＡＩを武器に使うこともできます。このように、テクノロジーの拡大は現代に大きな変化をもたらしています。特に「力の拡散」という意味では、大したリソースはなくても、個人レベルでこういった強力なテクノロジーを使えるようになったことで、使い方によって大きな善をもたらすこともできれば、大きな悪やダメージをもたらすこともできます。

ですから企業が今日のエシックスを考える上では、自社だけではなく、他のステークホルダー、個人、政府そして関連する組織などを巻き込んだ上で、エシックスはどうあるべきか、テクノロジーをどう使うべきかを考えていかなければならないと思います。特にＡＩや新しい先端テクノロジーの使い方については、世界中の国々が集まってしっかり考えるべきだと私は思います。

エシックスの判断は「イエス」「ノー」だけでは決められない

私は、倫理的意思決定の４つのステップとして、「原則」「情報」「利害関係者（ステークホルダー）」、そして「影響・結果」について検討することを提唱しています。これらは、どのような倫理的ジレンマにも必ず登場する要素です。ただし、多くの人は考え方が専門化し過ぎているように思います。たとえば生成ＡＩのエシックスとか、個人情報保護のエシックスといったように細かく分けて考えがちなのですが、きちんと検討すれば、どんな問題、どんなジレンマでも、根本的なものは変わらないと思います。その部分をしっかり見極めて判断をする必要があります。

また、倫理的意思決定を支えるものとして、次の３本の柱を重視しています。まず「透明性」、重要な情報が公開され共有されていなければ、倫理的意思決定は行えません。次に、「インフォームドコンセント」、理解した上での同意は信頼の証となるものです。そして「効果的な聞き取り」、相手の真意を理解しなければ起こり得る結果を把握できません。問題は、この３本の柱が機能しなくなっていることです。今日においては、透明性の欠如や、内容を理解しないままでの同意も往々に起こっています。同意を求められる際、たとえ規約を読んでも難し過ぎて理解できないことが多いと思います。

エシックスに関するアドバイスを実践していく中で私が学んだのは、倫理的意思決定の結果は、「イエス」か「ノー」かではなく、その中間のグレーでもないということです。バランスを取るとかブレンドするといった考えをする方もいますが、私はそうではありません。エシックスを考えるときには、私は「いつ」、そして「どのような状況で」ということを考えます。たとえばこのソリューションはこの固有のケースなら使えるとか、ほぼ全てのケースに使えるけれど、この状況だけでは使ってはいけないといった結果になることが多いのです。

もちろん、ここは絶対譲れないというリスクもあります。私はこれをレッドラインと呼んでいますが、たとえば人間の受精卵の遺伝子を編集した科学者が国際的コミュニティから強い「ノー」を突き付けられた例があります。そのようなことを行うには、私たちはまだ十分な情報を持っていないときちんと言える環境も必要です。

企業の経営者は、たとえばある製品を市場に出したときに、ユーザーたちがその製品を使うことで何が起こるのかをきちんと考える必要があります。リスクを特定して、それをどのように緩和・最小化するかを考えながら、同時にそこから生まれるチャンスをどうつかむかを考える必要があります。新しいテクノロジーを待っている人が、社会には多くいるからです。たとえば自動運転技術で移動の自由を取り戻す人や、ＡＩによる医療診断技術の発展によって体の機能を取り戻す人など、新しい技術によって大きな恩恵を得る人もいますから、リスクの緩和だけではなく、チャンスをどうつかむかを経営者は考えなければいけません。

エシックスの実践に重要なレジリエンスという機会

エシックスと聞くと、「ちゃんとルールを守ろう」ということだけを考える人が多いのですが、エシックスとはそれ以上のものであると、私は強く言いたいと思います。私の業務では、多くの企業でフォーカスとなるのはレジリエンス、つまり問題からの「立ち直り」です。企業は本当にいろんな課題に直面します。中には、新型コロナや自然災害のように、全く予想外でコントロールし得ないものもあります。ちゃんと良識を持って良い判断をしたとしても起こってくる課題です。また、判断を誤ったり、誰かがミスをすることもあります。

これらにどう対応するか。もし誰かがミスをしたとしても、それを報告しても安全だと感じられることが、エシックスを実践する上では大変重要だと思います。ミスが許されていれば、社員は何も隠さずにミスを報告し、企業は、それが大きな問題になる前に原因を明らかにして対応できるようになります。ですから、ミスをしても社会的なプレッシャーや企業内のプレッシャーを受けずに仕事をできるのかという点を私は重要視しています。そういったプレッシャーがあれば、問題があっても隠蔽されてしまいますし、そういった一つ一つの行動が同じような行動を生んで、どんどん伝染して広がっていきます。仮に何か過ちを犯しても復活できる機会を作っておくことも重要です。

レジリエンスは、エシックスの原則が適用されていたのかを確認し考える重要な機会です。正しい原則を持っていても、それを実行していなかったために問題を大きくしてしまった企業は数多くあります。そこで大切になるのは関係者のマインドセットです。我が社はこういった考えを持っているので、これを基に行動してくださいと、強いメッセージを発信することが大切だと思います。

エシックスと人間性

私の長年にわたるモットーは「倫理的意思決定が私たちを人間性の下につなぎとめる」です。人間を真っ先に、中心に置いて考えることで、人間中心の選択ができるようになります。これは大変重要なコンセプトで、エシックスは、人間性に深くつながっているものだと考えています。

私たちが何をもって人間と定義されているかといえば、一つの要素は、時間に限りがあることです。私たちはいつか死にます。そして体がもろいという特徴もあります。そして私たちはコミュニティとコネクションを非常に重視しています。つながることを重要と考えていると思います。その意味で言えば、エシックスというのは非常に偉大な、素晴らしいコネクターで、私たちを人々や組織、文化につなぐことができるのです。

また、人間性の大きな要素としてエンパシーが挙げられます。「他人の靴を履く」とたとえられますが、相手の立場に立って相手の思いを想像する力のことです。エンパシーがあるからこそ、私たちは、もしこういった行為や振る舞いをしたらどういう結果になるかを想像することもできます。暴力ではなくて敬意をもって接すればどうなるかと想像することもできます。エンパシーもまた、私たちを人間たらしめるものであり、エシックスには欠かせないものだと思います。

私が企業にアドバイスするときは、その地域の文化にも根差したアプローチを取っています。私がアメリカで行っているような業務を日本でやるとしたら、そのまま行うのではなく日本の文化に根差したものにすると思います。日本として今後、エシックスをどう考えて対応していくかについては、国際的なコミュニティなどの一員として、日本の文化を伝えながら、それに配慮した形でどうすべきかということを考えていくのがよいと思います。

スーザン・リオトー
Susan Liautaud
スーザン・リオトー&アソシエーツ・リミテッド創設者兼マネージングディレクター。グローバル企業からＮＧＯまで、多くの組織に対して、倫理問題についてアドバイスを行っている。スタンフォード大学で倫理の最先端についての講座を持ち、ロンドン大学経済政治学院の理事長を務める。非営利プラットフォーム「The Ethics Incubator（倫理の保育器）」を立ち上げ、同時に多くの国際的な非営利団体の理事会議長や委員も務めている。著書に『倫理の力　複雑化する世界を生き抜く方法』（海後礼子訳、潮出版社）。

コラム

望む未来へと変革していくためのトランジションマネジメント

オランダ・トランジション研究所（DRIFT）代表　ダーク・ローバック

必然として起こる急激な変化

現在の世界は、気候変動、さまざまな社会問題、生物多様性の保全と多くの問題に直面しています。それらに対応するためには、系統的な取り組みが必要だと指摘されてきましたが、政府の政策やビジネスにおけるイノベーションだけではうまく対応できていません。これらの問題は長期的な問題であり、しかも深刻化し続けています。そこで根本的な対策として、システマチックに社会システムを変えるような取り組みが必要なのではないかと考えられたことがきっかけとなり、オランダをはじめ、ヨーロッパでは2001年ごろからトランジション、つまり複雑なシステム全体の変革が必要だという考え方が出てきました。

トランジションとは、経済の世界で変節点といわれているものに近いのですが、わかりやすくたとえれば、液体である水が、温度を上げていくと気体である水蒸気へと変わるように、システム全体が別の状態へと大規模に変化していくことです。言い換えれば、システムを構成する要素一つ一つがディスラプティブな変化を起こすということです。

トランジションを研究してきてわかったのは、それが起こるのは必然であるということです。どんなものでも、時期が来れば、ある状態から次の状態へと移り変わっていきます。しかも徐々にリニアに変化するのではなく、ノンリニアにいきなり大きく変わります。たとえばビジネスにおいても、今は安定していても、望む望まないにかかわらずやがては不安定期に入り、そこからトランジションに入るのです。

それではトランジションをマネジメントしてどういう変化を起こしていけばよいのでしょうか。それを考えるには、どういった将来を願うかが大きなポイントになります。トランジションは、さまざまな要素が組み合わさって起こりますが、どのような未来にしたいのか、批判的考察を行い、そこから、どのような変化を目指していけばいいか、どういうシナリオで進めばいいかを検討します。ビジネスでもデジタル化のような新たなテクノロジーでも、トランジションの先にどういうものを目指すのかが非常に重要になってきます。そこで最初に考えなければいけないのはエシックスと原則だと思います。そこに社会的な価値観や経済的な価値観を検討に加えることで、何をすべきか、政策やビジネスやテクノロジーをどのようにしていけばよいかを検討できるようになります。

自ら変化に取り組まなければ、変化に襲われる

トランジションにはさまざまな要因が絡んでおり、20年前に比べると、よりダイナミックに、より良い方向へと進捗する兆しはあると思いますが、まだしっかりとした成功を収めて

いる段階にはなっていません。現在進行形で取り組んでいる最中です。

とはいえ、組織や企業、政府の戦略が成功している事例はいくつもあります。たとえばロッテルダム港湾局における脱炭素化と持続可能な産業へのトランジションの事例が挙げられます。港湾局では輸送や物流に化石燃料を大量に使用していましたが、港湾局とオランダ・トランジション研究所（ＤＲＩＦＴ）とでトランジションに取り組みました。まず少人数のグループを作り、そこで将来に目指す姿を明らかにして、将来像から逆算して短期的に何をしたいかを検討しました。そこからトランジションのプロセスを広げていくことによって、港湾局の戦略は脱炭素へ向けて大きく変わり、組織構造も投資戦略も変わったのです。そして今では、化石燃料からグリーン水素燃料への転換といった、外部のステークホルダーも巻き込むような、さらなるトランジションを目指す取り組みにまで発展しています。

その過程では、あからさまなものではありませんでしたが、反対もありました。私たちは、トランジションの必要性やプロセスについてストーリーラインを作って訴えかけました。「従来のやり方は尊重しつつ、将来を長期的に見据えることが大事だ。世の中は変化し続けるので、今、変化を目指して自ら変わっていくことに取り組まなければ、将来、変化が我々を襲うでしょう」というストーリーラインでした。具体的な取り組みについても、あくまで実験的に特定の限られたスペースでやってみて、もし駄目であれば、やめるなり元に戻すことができますと訴えました。

そして、限定された、通常とは切り離された場所で、熟考し、自分たちでコントロールしながら変化を試み、それによってどんな影響が出るかをくまなく見ていったのです。こうすることで、「変える」という考えに納得し、気付かないうちに自らも変化していったのです。

デジタル化に伴うトランジションとしては、高等教育関係者と一緒に行っている事例があります。こうした課題では、デジタル技術を教育に加えるとどういったことができるかを検討するのが一般的な考え方だと思いますが、私たちは、そもそも現在の高等教育にはどういった問題があるのか、そしてその解決にデジタル技術がどう役に立つかを考えました。

そして、高等教育をどのように大きく変化させて未来のリーダーを生むかを研究し、誰もが学ぶことができるスペースを作る取り組みもしました。その成果を受けて教育庁から2億ユーロの予算が付き、２０２３年からはデジタル技術の活用で高等教育のトランジションを行う「Npulse」という8年間のプログラムがスタートしています。

トランジションは社会変化のプロセスなので、その妨げになるものが3つあります。まず人々の行動です。人間は習慣を変えたくないものです。2つ目は文化で、新しいやり方を知らなかったり、今のやり方がよいと確信して疑わないことです。3つ目は慣行・実績で、すでに仕組みが出来上がっている、今までのやり方に大きく投資してしまっている、そこにキャリアをつぎ込んできた、この技術を選んでやってきたし制度も規制も今までのものに対応して出来上がっているといったことです。それらがバリアになって、従来のやり方にあまりにも長く固執してしまうということがあります。

トランジションのプロセスで、人と人の間でコンフリフトが発生してしまうこともあると思います。そのような場合には、反対する人などが逃れることができる安全なスペースを作っておく、あるいは参加しないという選択肢や、やめるという選択肢も設けることです。

また、うまくいかないことが出てきてしまうと、トランジションが失敗に終わったと考えてしまうかもしれませんが、それは間違いです。全てを変えるのがトランジションの目指すところではありませんし、部分的にうまくいかないことはあったとしても、それは社会的な学びになります。

トランジションを実現するために

私は日本の研究者の皆さんともかなり長く一緒に研究をさせていただいていますが、文化の違いを感じることも多くあります。トランジションマネジメントは、さまざまな立場の人たちが集まってオープンディスカッションをし、意見を出し合いながら視点を合わせていくことが基礎となりますが、日本の文化では、それは十分に実現していないかもしれません。そのことを念頭に置いて進めることで、組織作りからコミュニケーションまでをいい形でプロセスとして推し進めることができるのではないかと考えています。

プロセスについては、トランジションには、将来あるべき姿を考えて、そこから逆算して今やるべきことを考えるというバックキャストの考え方があります。加えて、視点は長く取るとはいえ、変革自体はラジカルなシステム変革になります。システム全体がやがては変わるべきという視点です。日本では、現状から徐々に変えていったら将来こうなるというフォアキャストの戦略的思考を用いる場合が多いと思います。トランジションに取り組むためには、バックキャストとラジカルな変化という考え方についてトレーニングすることも必要でしょう。そして、まずは小さなスケールでスタートして、だんだん展開していくのがよいと思います。

企業がトランジションに取り組もうとするなら、まずは社会、モビリティ、経済、教育、家庭、環境といったさまざまなトランジションに参加してみることです。そこで他の参加者がどういう未来を求めているのかに耳を傾けるといいと思います。そこからどういうビジョンを描くのか、どういうストーリーで目指していくかを考えれば、それに必要なものは何なのか、テクノロジーやイノベーション、新製品や新サービスの開発はどういう方向でやっていくのかということが、社会経済的な観点から見えてくるのではないかと思います。

オランダには研究でも政策でもトランジションの事例は多くあります。多くの都市、多くの省庁が、循環型経済、医療、高等教育、産業、モビリティと、さまざまな方面のトランジションに取り組んでいます。オランダは小国で、海抜０メートル以下の地域も多く、化石燃料を多用しています。そのため、今後世界で発生する問題を全て抱えていますから、いわゆる炭坑のカナリア的存在であり、いち早くトランジションをスタートしなければ大変なことになるという意識を持っています。

問題を抱えているのは他の国も同様です。今のままでは世界は行き詰まるということは、次第に明らかになってきていると思います。ですから根本的で構造的な変革が必要なのです。それでも、変わるのは嫌だと思っている人も多くいると思います。しかし一方で、変わることにこそチャンスがあると理解する人もいます。ですから、変革へのプレッシャーが高まれば、必然的にイノベーションも進むといえるのではないかと思います。

日本では、高齢化や医療では、すでにプレッシャーがかなり高まって、問題が否定できない段階に来ていると思います。そこでテクノロジーが果たす役割も大きいでしょうし、社会的イノベーションも必要です。たとえば医療の逼迫にもシナリオを作って良い方向へ変えていくことが必要ですし、人口減少にも同時に対処しなければいけません。これらは、明らかにトランジションが必要な例ではないかと考えています。

ダーク・ローバック
Derk Loorbach
オランダ・トランジション研究所(DRIFT: Dutch Research Institute for Transitions)代表、エラスムス大学教授。
トランジションマネジメントアプローチの創設者の一人で、研究活動にとどまらず、政府、企業、市民社会等の多くのトランジションプロセスに行動研究者として参画。著書に『Transition Management: New Mode of Governance for Sustainable Development』など。

第7章
エシックス中心の世界へ向けて

Invitation to Digital Ethics

社会変化と信頼、そしてエシックス
―ネガティブケイパビリティと向き合う姿勢―

ここまでの章で、ビジネスや社会においてエシックスがどのような使われ方をしているかを見てきました。デジタルを活用することで企業活動は大きく変わりました。デジタルはただの〝道具〟ではなく、すでに私たちの生活に浸透しつつあります。現代において、システムや製品は単体で存在するものではありません。社会の中で人間と融合することで、新しい価値を生み出しています。この新しい価値を、自分はどう見るのか、人間はどう見るのか、地球環境にとってはどうなのか、これについて対話し、新しい社会作りの営みを加速させる行動の指針となるものが、前章までで述べてきたエシックスだと私たちは信じています。

昨今の技術の進歩は素早く流動的です。２０２３年は生成ＡＩの年であったといえるでしょう。生成ＡＩは、望めば議事録を作成し、画像や音楽を作成し、私たちと共同作業をしてくれるパートナーとなりつつあります。デジタル社会は人の拡張を促します。技術は人と共生し、より相互に影響を与え合うようになります。企業も政府・自治体も生成ＡＩ活用のガイドライン作成を進め、すでに生成ＡＩを活用して新たな価値を作り出す専門家も生まれています。社会において人間が果たす職域も変わっていくでしょう。労働力人口が減少を続ける中で、限られた労働人口での業務継続性確保の観点からも、データ活用を進めるDX領域には大きな期待が寄せられるようになっています。

しかしながら、このような課題は最近出てきたものではなく、何年も前から日本政府も企業経営者も危機感を共有してきました。にもかかわらず、なぜ対応が進まなかったのでしょうか？この問題を考えるに当たり、直視しなければならない調査結果があります。オランダのPR会社、エデルマンによる「2022エデルマントラストバロメーター」です。

このレポートは、企業、NGO・NPO、政府、メディアへの信頼度を調査していますが、2020年5月時点ではこの中で最も高かった政府への信頼度が、2021年11月時点には大きく低下した一方で、企業に対する信頼度が高まっており、社会的課題解決についても、政府より企業の強みと思っている人の方が多いと分析しています。日本については、企業、NGO・NPO、政府、メディアの全てが信頼されるに足りえないレベルと評価され、「最近、私は、信頼できるという証拠がない限りは信頼しない傾向にある」とする人が75％、「この国の人々は、意見が合わない問題について建設的な市民討論をする能力に欠けている」とした人が58％と、不信感がデフォルトになって議論の基礎がなくなっていると評価しています。これでは課題を認識できていたとしても、対応策を共に考え実行していくことは難しいでしょう。

このような時代背景の中、2023年の世界経済フォーラム（World Economic Forum）の年次総会

（通称ダボス会議）は、「分断化した世界における協力（Cooperation in a Fragmented World）」をテーマとして開催されました。創設者であるクラウス・シュワブ会長は「私たちは、政治的、経済的、社会的なさまざまな力が、世界および国家レベルで分断を拡大させていることを目の当たりにしている」と発言しています。瀬戸久美子氏の「ビジネスの境界を揺らす『ＮＥＸＴ１００』とは」（「Forbes JAPAN」２０２３年６月号）によると、ここに参加した企業リーダーの姿には２つの共通項があったと述べています。それは、感情にふたをしないこと、ネガティブケイパビリティ（不確実さや未解決の状態を受け入れ、耐え抜く能力）をもって問いに向き合い続ける姿勢です。

ここまで本書で述べてきた内容からも、デジタルエシックス活用に向けた重要なポイントは、「社会変化に対してネガティブケイパビリティをもって問いに向き合う姿勢」といえます。本書では、さまざまな社会課題と向き合い、ステークホルダーとの対話を繰り返す事例を紹介しました。それぞれの組織のリーダーがこのようなリーダーシップを持ち、変化とどのように向き合ってきたかを語り合える社会になっていくことが求められています。その積み重ねが、信頼あふれる社会を形成していくのです。

日本社会の課題
―企業のアジリティとエシックス―

改めて第1章でも触れた「世界デジタル競争力ランキング」に目を向けましょう。日本が調査対象国・地域の中で最下位となっている項目が3つあります。「企業のアジリティ（敏捷性）」「ビッグデータとアナリティクスの活用」「シニアマネジャーの国際経験」です。ここでは「企業のアジリティ」に絞って考えてみます。

企業のアジリティについては日本の国民性に由来するものかもしれません。過去には、日本の会議は何も決めない、決断力がない、判断が遅いと言われ続けていました。ビジネスにおいてアジリティとは、「目まぐるしい環境変化に即応するために欠かせない、経営や組織運営のあり方における機敏性」といわれています。ローランド・ベルガー前日本法人会長の遠藤功氏は、「THE21」（２０１６年2月号）で、経営において「必要なのは俊敏性ではなく、敏捷性」と述べています。俊敏性とはクイックネス、地点Aから地点Bへ進むことが決まっていて、そこを目指すときの速さです。一方の敏捷性は、地点Aからどこへ行くか複数の選択肢がある中で、どこへ進むべきかを自分で判断しなくてはならない状況での速さをいいます。すなわち、敏捷性＝

アジリティは『判断の的確性×行動の速さ』であり、行動の速さだけを意味する俊敏性＝クイックネスとは大きく異なりますと述べています。

日本企業、特に現場には俊敏性がないわけではないでしょう。ですが、「自分で判断しなくてはならない」状況では、多くの日本企業は外国企業の後塵を拝しているのが現状です。たとえば、社会のニーズに応じて新規事業を起こしたり撤退する判断は、日本企業は外国企業に比べて遅れているといわれています。一橋ビジネススクール教授の楠木建氏は「なぜ日本は変われないのか？」という問いに対し、「変わらなくてもここまでやれてきたから」という実にシンプルな回答をしています。

ところが、今、多くの日本企業は「変わらなくてはこれからはやっていけない」状況に追い込まれています。日本企業が変わるためのヒントとして、ミッションがイノベーションに貢献してきた事例を紹介しましょう。マリアナ・マッツカート氏の著書『ミッションエコノミー』は、アメリカのアポロ計画における下記のようなエピソードを紹介しています。

「かつてケネディ大統領がＮＡＳＡ宇宙センターを訪問したとき、ほうきを持った用務員の男性を見つけて、何をしているのかと尋ねました。男性はこう答えました。『大統領、私は人類を月に運ぶ手伝いをしています』。大きなミッションに携わるとき、人は個々の利益を超えた公共の利益を実現する巨大な引力と充足感を感じることができます。アポロ計画は過去１００年で最もリスクの高い公共事業の一つであるのと同時に、多くの複雑な問題を解決するためのいうなれば巨大なイノベーションの機会でもありました。ミッションにはロケットの性能を飛躍的に向上させることが欠かせませんが、それだけではなく、電子機器、航法・推進装置、生命維持装置、通信装置、飛行制御システムはもちろん、繊維、素材、栄養と多くの分野で、このミッションに堪える水準を達成する必要があったのです。結果として、月面到着のその瞬間、これら多くのイノベーションが巨大な副産物として人類にもたらされることになったのです」

変わるということとイノベーションを起こすことは必ずしも同義ではありませんが、多くの課題に向き合いながらも成長を遂げることを追求する日本企業にとっても学ぶ点の多いエピソードです。大きなミッションはイノベーションをもたらしますが、多くの人々を動員して実行するミッションには、当然多くの課題が生じることになります。大きな影響力を持つミッションであればなおのことです。そのような影響力を持つミッションを進めるためには、エシックスに基づいた対話が幹となります。行き詰まってしまうのは、未確定な課題やどう変化すればよいかについての議論が足りず、自ら指針を決めて意思決定することができなくなっていることが問題の本質なのではないでしょうか。私たちはエシックスこそがその議論を助ける羅針盤の役割を果たしてくれると考えています。日本でも、ビジネス領域での倫理観を競争力に転換していくときが来たのです。その活動を進めるための考え方を次節で紹介します。

日本版エシックスを構築せよ

―エシックスを考える4つの観点―

本書にて、私たちはエシックスをあらゆる判断の現場で活用することを提唱してきました。かつてデンマークデザインセンターに在籍し、私たちにデジタルエシックスコンパスの使い方をレクチャーしてくれたブライアン・フランセンさんは「エシックスとは筋トレ」のようなもので、使えば使うほど鍛えられ、良い社会を作り出す一助となるが、使わなければ衰えて、望んでいるものとは逆の社会を招くだろうと語りました。前章までで、エシックスがサービス設計の現場、施策・事業の可否判断などで使われていることを示しましたが、いずれの事例でも、エシックスは、対話を促し議論の基礎を提供してくれていました。

ここで改めてエシックスを活用するとはどういうことなのかを考えたいと思います。有識者の知恵を借りながら、エシックスの活用に関する重要な観点を4つ提示したいと思います。

想像力を広げること

自分とは異なる常識に想像力を広げるのは本当に難しいことです。当たり前と思うことを疑い、可能性の範囲を広げることの難しさには皆さんも直面したことがあるでしょう。たとえば飲酒が挙げられます。アメリカで仕事を終えた後にホテルの自販機でビールを買おうとしても、アルコール飲料の自販機はありません。仕方がないので店にビールを買いにいくと、ＩＤの提示を求められます。これはアメリカではアルコール飲料販売における年齢確認が社会システムとして根付いているからです。

さらに、ホテルまでの帰り道、素晴らしい桜を見つけたので桜を見ながら一杯飲みたくなって、公園でビールを開けて飲もうとするとどうなるでしょうか？　多くの州では、即座に逮捕されます。日本では、昼間に屋外でお酒を飲んでいても警察からとがめられることはありません。それが花見の時期であればなおさらです。このように日本の当たり前が海外では通用しないときに、地域によって「当たり前」は違うのだから受け入れるという価値観も大事です。しかし、同様にそのような法律が決まった背景を想像することも重要です。

たとえば、アメリカではアルコール依存症を日本より問題視しているという背景があります。飲酒がもたらすトラブルが日本より深刻なのかもしれません。宗教上、アルコールを避ける地域もあります。

しかし、自分や家族、友人がそのような事態に直面しない限り、このようなことを想像するのは難しいでしょう。想像を巡らせた結果、自分一人の見地から善悪を決めてしまうと、あまりにも狭量な判断を下してしまう可能性に気付くことも少なくありません。

企業活動における判断にも同様のことがいえます。たとえば、ユーザーの意思を尊重しようと考え過ぎた結果、サービスに入る前に確認ボタンがいくつも続いて、かえってユーザーから嫌厭されるようになることがあります。このようなことはプロダクトデザイン部門と企業ガバナンス部門が、自分の職責を果たそうとする中で容易に起こり得ます。本当にユーザーにとって望ましいのは何か？と、自分たちの意識を拡張し、想像力を拡大していくことが必要なのです。

それでは、自分の意識を拡張するには、どのようにしたらよいのでしょうか？　デンマークデザインセンター前ＣＥＯのクリスチャン・ベイソン氏は、自分の視点を広く持ち、あらゆる状況に置き換えて考えることによって人は共感を持てるようになり、共感によってより倫理的に行動ができるようになると説明しています。このように、私たち自身が意識を変えていき、あらゆる状況を考えることにより、他者との良いバランスを作り上げていくことができるようになります。

グレーゾーンに向き合うこと

企業などの組織でエシックスを阻害する要因の一つとして挙げられるのが、「過剰なセクショナリズム」ではないでしょうか。事業責任は事業部門、研究責任は研究部門、予算責任は企画部門や経理部門とされている場合が多いものです。所管責任があることはよいのですが、部門間の対話が閉ざされ、ある部門で問題が生じても、他部門は何も対応しないという事態は皆さんにも経験があると思います。そこでは対話の回路が閉ざされています。

それでは「対話する」とは、どのようなことを指すのでしょうか。それは作り出したい未来のために何ができるかを双方が提案し、議論して結論を決めるということです。ここで考えたいのは、法令上のグレーゾーンへの対応です。たとえば法務部門が、ある技術を事業化したいと問い合わせが来たときに「それは○○業法に抵触する可能性があるから事業化を進めてはなりません」と回答する場合があります。ですが「ＮＯ」と答える前に次のように考えられないでしょうか。法の趣旨に照らし合わせて別の解釈はできないか、その技術を少し変更したら法に反しないのではないか。そして何よりその回答は、作り出したい未来のための対話として十分なものなのかと。

岩間郁乃氏が問いかけた事例を見ていきましょう。「事業部より、利用者に対し睡眠環境改善アドバイスや商品提案を行うサービスを実施したいとの要望があった。話をよく聞いてみると、コンサルティングシート等を用いたセルフチェックもサービス内容に含まれており、医師法に抵触する恐れがあるのではないかと思われた」（「ビジネス法務」２０２１年６月号）

医師法17条は「医師でなければ、医業をなしてはならない」と定めています。厚生労働省の通達では、「医業」とは「当該行為を行うに当たり、医師の医学的判断及び技術をもってするのでなければ人体に危害を及ぼし、又は危害を及ぼすおそれのある行為（医行為）を、反復継続する意思をもって行うこと」とされています。「コンサルティングシート等を用いたセルフチェック」は、医行為である診断・問診に当たる可能性を排除できないため、これは事業者が事業を諦めなければならない可能性があることを示唆しています。

ここで岩間氏は一例として、リーガルリスクマトリクス（リスクの特定・分析・評価・対応といったリーガルリスクマネジメントの4段階コアプロセスのうち、リスク分析に用いることができる手法）の活用を提唱しています。本マトリクスの子細な説明は省きますが、マトリクスに沿って分析することで、より精微なリスク分析が可能となり、法務部としての判断の妥当性の確保や事業部とのコミュニケーションの精度を上げることができると主張しています。また、リスクの特定を行った結果、法律違反の恐れがあると結論が出たとしても、直ちに事業を止めるという判断をするのではなく、適切にリスクを分析・評価し、リスクを軽減するための対応を取れないかを考えていくことが重要であると述べています。

弁護士の渡部友一郎氏は法務の世界に強烈な疑問を投げかけました。「今月、事業部に何回『NO（できません）』と回答しましたか。仮に、そのNOという回答によって立ち消えた契約、新規事業プロジェクトその他の事業活動の小さな種が、数年後、100億円の事業価値を持つ取り組みへと花開いた場合、その法務の『NO』は、会社から100億相当の企業価値を奪ったことにならないだろうか」

この疑問は、2020年5月、ISO31022（リーガルリスクを含む組織のリスクマネジメントを体系化した親規格であるＩＳＯ３１０００：２０１８を補完するもの）を支持する文脈で述べられたものです。そして渡部氏はこの規格を支持する理由として、不必要な法務の「ＮＯ」で葬られている日本中の潜在的事業価値を取り戻し、デジタル時代における日本の国際競争力のさらなる発展に貢献したいと主張しています。

社会課題の解決に向けて、多くのプロセスを踏むことを私たちは要求されています。特にデジタル領域では法令上の判断が難しく、グレーゾーンに見えるものも多くあるでしょう。そのようなときには、リスク回避のために即座に「ＮＯ」と対応するのではなく、まずはリスクと向き合いリスクベースアプローチを取りながら、「ＹＥＳ」とするための適切な方策を探り続けることが重要です。このような考え方を法律の専門家だけでなく、事業部や関係するステークホルダーが互いに認識して対話を進めることが、グレーゾーンに向き合うためには必要です。そのとき、対話の指針となってくれるのがエシックスなのです。ＡＩと法規制の動向を紹介した付録を巻末に付しましたので、あわせてご一読ください。

企業や市民主体でガバナンスをデザインすること

テクノロジーと人が共生していく過程では、ときに意図しない悪影響を社会に与えることがあります。このようなリスクには、一つの価値観や一つの基準だけでは対応できなくなってきています。必要なのは、ステークホルダー間の対話・議論によって、多様な価値観を共有することです。そのためには、対話・議論を円滑に回す仕組みが必要になります。その一例が第5章で紹介した「アジャイルガバナンス」です。

ガバナンスとは、政府、企業から地域コミュニティまで、私たちの属する組織それぞれが、自らを管理するための最適な仕組みをデザインし実行していくことです。私たち一人一人がエシックスを踏まえた対話を安心して進められるようにするためには、私たちの手でガバナンスをデザインすることが必要なのです。

京都大学大学院法学研究科教授の稲谷龍彦氏は、このようなガバナンスの進め方について次のように述べています。「個別の事件や問題について集まったステークホルダーの議論から出たミクロな結果を集めていくほうが有効だと思います。いきなり大きなスケールにする必要はなく、あくまで個別のケースが引っ張り合うなかで結論が出ていくモデルの方が良いと思います。(中略)例えば不祥事を犯した企業は、アメリカであれば『お前の会社のこのガバナンスが駄目だから何とかしろ』と言われて再構築をさせられます。それを観察した同業の複数の企業が数年に渡って試行錯誤を繰り返すうちに、だんだんと良い方法が分かってくるわけです」。

ガバナンスを回していく過程では、もちろん失敗することもあるでしょう。そのため、ガバナンスは、ルール遵守とペナルティだけではなく、失敗した場合の被害者の救済や企業のリスク軽減に資する保証をどのように制度化するのかという点も含んでいる必要があります。そのような責任制度や保証制度を確立するためには、自律的な開示、すなわち社会に向けた透明性を担保していくことが必要だといえます。その対価として、透明性あるガバナンスを実行する組織に対する免責や補償制度も検討されています。稲谷氏は、参加者に正直に振る舞うインセンティブを付与する重要性を指摘しています。対話・議論を行う仕組みがこのようなガバナンスにより構築されるのに加え、参加者がインセンティブを享受できるなら、対話・議論への参加者も増えることでしょう。

政府も、企業も、市民も、その全てがデジタルの恩恵を享受するための仕組みを具体化する努力が始まっています。私たち一人一人が対話を進めることが、自律的なガバナンスを構築し、より良いものにしていくことにつながるのです。

関係性の中から判断すること

プロダクトデザインやサービス設計の分野においては、人間中心設計、人間中心主義が盛んに唱えられ、人の尊厳や権利を尊重することが重要視されています。人を置き去りにしたサービスやプロダクトは誰も幸せにしません。サービスやプロダクトはその中心に人間がいるべきという主張です。この考え方はエシックスの基本の一つですが、環境意識の変化の中で見直しが始まっています。先述の稲谷氏は人間中心主義からの変容について次のように述べます。

「新型コロナウイルスに見られるように、我々が制御できない環境からの不可避的な介入が、社会と人間のありように影響を与えることを直視する必要があります。つまり、これまでのように人間と環境を切り離した議論ができない、言い換えれば主体のありようは常に外部からの影響を受けるため、外的環境から独立した主体という概念を維持できないということです。従って、人間が『理性を持った自律的主体』であることを前提とした人間中心主義はもはや維持できません。今後は、人間のあり方や人間が作り出す世界、あるいは人間の力の及ばない世界と人間の関係性を見直した上で、我々はどうするべきかを考えなければならない」

クリスチャン・ベイソン氏は、人間中心主義から地球主義への遷移を主張しています。これは、人間は人間同士の関係と影響のみによって成り立つのではなく、マルチスピーシーズ（動植物はもちろんのこと、マイクロバイオーム〈ヒトの体に共生する微生物の総体〉に至るまで、複数の生物種との共生）の中で相互に影響し合うことで成り立っているのだという見方に基づくものといえます。たとえば、人間の仕事のあり方については、ＡＩによって人間の仕事が奪われるのではなく、ＡＩの導入によって人間の仕事が見直されるのではないでしょうか。その中で、自然の中の人間、地球の中の人間という見方をして、それが持続するあり方を考えていくことが当然であると語っています。

エシックスを考えるときにも、人間中心という考え方だけでなく、自然や地球をステークホルダーとして考慮に入れる必要が出てきているといえます。

しかしながら、私たち日本人の文化は、西洋のような絶対的な個人主義に基づいた文化ではありません。中心主義という表現に違和感を持つ方もいるかもしれません。私と世界の間の境界線は、東洋文化では絶対的なものではなく曖昧なものです。そこにはアニミズム的な世界観、仏教的な世界観などさまざまな背景が入り混じっていると思いますが、そのような多くの価値体系や構造の中からより良い選択を導き出そうと言葉を尽くすことが重要なのだと考えます。自然との関係も同様で、人間も自然の一部であるという考え方は私たちにはなじみ深いものです。改めて自然や地球に目を向け、共生していくという考え方こそが、持続可能な社会を形成し、より多くの選択肢を後の世に残していくことにつながっていくのです。そこには、日本ならではのエシックスの可能性も見えてきます。

日本社会への3つの提言

ここまで述べてきたことを踏まえ、エシックスを活用してDXを推進するとともに、日本社会をより良いものにするために、最後に3つの提言をしたいと思います。

1 一人一人が目指すビジョンを作る

本書で述べてきたことの最終的な目標は、持続可能な明るい社会を作ることに集約されるといえるでしょう。まずは、私たちの社会を持続的に発展させ、自然環境と共生し、未来世代に選択肢を残していくためのビジョンを作っていきましょう。社会課題の解決と成長を実現し、多くのイノベーションを人々にもたらすものなら、周囲の協力を得やすくなるでしょう。

同時に、第3章でクリスティーナ・メランダー氏が述べていたとおり、現在は技術進歩が急速で、「我々は本当に新たな技術が何をもたらすかを理解できているのだろうか、理解する能力が追い付いていないのではないか、と問わざるを得なくなった」状況です。この問いへの答えを、私たち一人一人が考えてみることが重要です。さもなければ、技術に対する懸念や社会的リスクへの不安だけが独り歩きし、デジタルはなかなか社会に浸透しないままとなるでしょう。つまり、新たな技術が何をもたらすのかを理解できる能力を私たち一人一人が持ち、その技術を活用してどのような社会を作りたいのかというビジョンを持つことが大切なのです。

そこでキーワードになるのは、もちろんエシックスです。前節で述べた「想像力を広げること」「関係性の中から判断すること」が役に立つでしょう。私たちの望む未来が、人間だけでなく自然や事物を含む他者に対してどんな影響を与えるのかを想像し、その対象との関係性の中から、一人一人が望む社会を構想しましょう。そしてその中でデジタルが価値を発揮する領域を定義することで、最初に述べた社会課題の解決と成長を実現し、技術のイノベーションを享受できるようになるのです。

2 互いに信頼できる社会を構築する

望む社会のビジョンを作れても、それを実現するためには、ステークホルダーの理解が必要です。特にグレーゾーンと見なされがちな事柄では、この調整が難航することも多いでしょう。

そのような状況に向き合うために最も有効な手立ては、信頼関係を構築することです。経済学者のケネス・J・アロー氏は著書『組織の限界』で、「信頼は社会システムの重要な潤滑剤であり、それが社会システムの効率を高めることはたいへんなものがあって、さまざまな問題が取り除かれる」と述べています。私たちが望む社会を実現するプロセスには、信頼構築の過程が必須です。

そして信頼構築のためには、エシックスが欠かせません。第3章で紹介したデジタルエシックスコンパスや第6章で紹介したフレームワークには、エシックスを共通言語として対話を重ね、ステークホルダー間の信頼を高めていく効果があります。さらに、第4章から第6章で紹介したようなポリシー策定やガバナンスの実践は、ステークホルダーとのコミュニケーションに有効であり、新たな試みに対する不確実性とリスクへの対応を開示して透明性を高めていくというエシックス的観点が信頼につながります。このようにして構築した互いに信頼できる社会こそが、トランスフォーメーションの基盤となり推進剤となるのです。

3　トランスフォーメーションをマネジメントする

前述の2つのアクションに加え、さらにトランスフォーメーションを前進させる手段として、トランスフォーメーションの過程を**できる限り**マネジメントをすることを提唱します。第6章で紹介した「トランジションマネジメント」が、その参考になります。

トランジションマネジメントは、社会変化のための施策を実行するために、ビジョンを作って仲間を集め、変革の兆しを後押しすることでトランジションを実現するための方法論です。その過程で、私たちが望む社会像がもたらす影響を再確認できます。そして、対話を重ねるほど、より良いビジョンを生み出せるでしょう。その際には、初期の段階からエシックスをプロセスとして組み込んでおくことが重要です。**できる限り**とわざわざ記した理由は、無理な合意形成を図らないことが肝要だからです。直面する課題を隠さず開示することによって、本質的な価値に基づいた未来像を提示し、それに協力してくれる仲間とトランジションを進めていくのです。活動は小規模だったとしても、そのプロセスや成果を周知していくことによって、地域から全国へ、場合によってはグローバルへとその波は伝播していきます。

日本社会の課題解決という旗印の下、多くのプレイヤーが社会変革に挑戦しています。それぞれの変革領域に関わる利害関係者との対話において、トランスフォーメーションをマネジメントする手段を活用していきましょう。

本章の終わりに

本章では、第１章から第６章を振り返り、エシックスを考える上で重要な４つの観点を述べ、私たちの社会の中で実行していくべきことを３つ提案しました。少し脱線しますが、この章をまとめるにあたり、とある書籍を思い出しました。

「科学は真理の宝庫ではない。何かを知るための最善の方法、それは、この世界を理解しようとしながら、世界と相互に作用して、自分たちが出会うもの、見つけたものに合わせて、己の持続的な枠組みを調整し続けることだ」

これは物理学者カルロ・ロヴェッリ氏の著書『世界は関係でできている』の一節です。ＤＸとは横軸であり、業界という縦軸に対して横軸で得た知見を活用しながら課題を解決していくという見方があります。しかし、ロヴェッリ氏の思想に触れると、それすらも対象間の関係性によって変わりゆくもののように見えます。そして、ＤＸだけではなく、広くビジネスや政策も、対象間の関係性によって変わりゆくものだといえます。こうして変わりゆくものに対して、普遍的な考え方をもたらしてくれる中心的な役割を果たすものがエシックスなのだと考えています。

コラム

対話からデジタルエシックス、そしてDXへ

NEC執行役Corporate SEVP 田中繁広

企業に求められる役割の変化

SDGsをはじめとして、社会的な課題に対する関心が世界的に高まると同時に、企業には、より一層大きな役割を果たすことが求められるようになっています。利益を生み出したり雇用の場を提供する存在を超えて、企業は社会全体に影響を与える主体であり、また社会を変革する触媒のような役割も果たせる存在だという認識が社会的に広まっているのです。

そう考えると、企業が倫理に目を向けるのは当然の流れといえます。もともと、倫理は人間の生き方に関する原理原則から出発したものだと思いますが、企業が人間と似たような形で社会や地球のあり方に深く関わるようになれば、企業が倫理を重要視することは、社会や地球からの非常に強い要請だと捉えるべきだと考えています。

たとえばAIを巡る議論は、倫理まで踏み込んで考えないと、企業としてどうアプローチをしていくべきかを決められない課題です。生成AIが注目を浴びるようになったことで、企業に限らず、非常に多くのプレイヤーが、そのことに気付くようになりました。こういった動きは突然始まったわけではなく、たとえばSNSが健全な言論空間や各国の政治に与える

影響が欧米社会で大きな問題になったときにも、すでにその萌芽が現れていたと思います。

ＡＩは、もともと人工的な知能という意味ですから、技術者は、人間の脳のようなものを技術的に再現していこうという考えを持って、長い時間をかけて発展させてきたものだと思います。生成ＡＩの登場で、言葉という、人間に最もなじみのあるコミュニケーションツールをＡＩが使えるようになったことで、ＡＩは人間と同じ役割を果たせるだろうというポテンシャルが非常に強く意識されるようになりました。人間と同じことができるのなら、人間に求められる「これはやってはいけない」という内面的な抑制や、「良いことをしたい」という前向きな意思も、ＡＩを作り、利用する上では考えざるを得ないという認識が強くなったのだと思います。

これまでは技術に対する見方は、価値中立、つまり技術そのものは良くも使えれば悪くも使えるので人間が賢く使えばいいというものでしたが、ＡＩでは技術そのものと技術を使うことが一体化し、ＡＩが人間に代わって一定の判断をしてそのまま実行することが技術的には可能な段階まで来ています。そうなると、ＡＩに倫理を入れ込み、一体的なものとして考えなければいけません。

最先端のＡＩ研究に携わっている方の中でも、ＡＩに対するアプローチには大きく２つの流れができていると思います。一つは技術の可能性を信じて、もっとポジティブに伸ばしていくことが大事だという考え方。もう一つは、この技術は人類にとって非常に危険なものとなり得るので、きちんとコントロールできる体制や制度、仕組みを作らなければこれ以上進めてはいけないという考え方です。そういう議論が行われるような素地が世界的にできてきているということは、私たちにとっては幸いなことだと思います。最先端の技術者にしか気付けない可能性と危険性、そして制御の可能性があります。こうした議論を巻き起こして、さまざまなステークホルダーの方々が対話を重ねていくことが求められているのではないでしょうか。

日本にDXを定着させるには

残念ながら日本のＤＸへの取り組みが非常に遅かったという点については、私もその思いを共有しています。これにはさまざまな理由があると思っています。一つの大きな要因として、デジタルに限らず、日本の社会がアジャイル、つまりある種、未完成な状態のものを受け入れ、それを実際に社会に適応させながら変え続けていくという姿勢で技術に臨むのが苦手だったことがあります。つまり、技術が実際にどういう効果、どういう結果をもたらすのかを深く理解し、安全性が担保されると確信を持つまで取り組みが進まなかったことが理由です。

しかし、これは捉えようによっては、技術がどういう影響を及ぼすのかを、さまざまな側面から慎重に考え、しかも実際に他国で影響が出始めるのを待って、その結果を見ながら判断してきたということでもあります。これはDXの進展にはマイナスでしたが、社会における技術の受け入れ方としては、間違っていたとは私は思っていません。ただ、非常に速いスピードで変わっていき、適用すればどういうメリットをもたらすかは本当にやってみないとわからないという種類の技術では、それが弱点になってしまったのだと思っています。

日本の技術の受け入れ姿勢は、本書で提唱しているデジタルエシックスのアプローチ、つまり、さまざまなステークホルダーを巻き込み、相互の理解をじっくりと深め、ていねいに共有しながら進めていくという方法と、根底においては似ているのではないかと思います。

今、私たちが目指そうとしているデジタルエシックスは、さまざまな成功例を取り入れながら議論を進めていき、技術開発と社会実装を並行して進めていく、その過程で見直しを繰り返してアジャイルに変化を起こしていくというものです。国や自治体によるルール作りや制度でも、変えなければいけないところは柔軟に変えていく。さらに、その技術が完全に成熟しておらず、課題が完全にわかってない段階でも、課題を浮かび上がらせるための実験的取り組みも行う。このような体系ができてくると、日本のDXは、デジタルエシックスを取り入れ、社会に定着する形で進んでいくようになると思います。

デジタルエシックスという考えは、決して日本にとって見たことも聞いたことないものと捉える必要はありません。もともと私たちの中にあるもので、それをデジタルの特性、アジャイルな時代に合わせていくことによって、DXをより深く、より遠くまで進めていけるのではないかと思います。

対話というプロセスの重要性

新しい技術に対するガバナンスとして、ハードロー、ガイドライン、ボランタリールールのどのアプローチがよいのかという議論は、デジタルに限らず出てくる議論ですが、その背後には、エシックスに代表されるような考え方が共通してあります。ルールの形にはならないエシックスがデジタルに関わるさまざまなプレイヤーの行動を内面的な規範として律することによって、私たちが安心安全に暮らしていけるデジタル環境が作られるのだと考えています。今後ますますデジタルと倫理は不可分となり、エシックスの重要性は増しこそすれ、減ることはないと思います。

本書ではデジタルエシックスのさまざまなアプローチを紹介していますが、共通する要素は、違う立場、違う考え方の人たちで意見をぶつけ合わせてより良いものを生み出していく、それを継続的に行い、問題意識を持ち続けることだと思います。こういったことが、家族、地域のコミュニティ、職場、企業、地方自治体、中央政府、そして社会全体と、いろんな単位で行われるべきです。

その基礎になるのは、対話です。私は福島第一原発事故後の復興の仕事に携わり、住民の皆さんに、放射能についてご理解いただく活動をしていましたが、非常に早い段階から、原子放射線の影響に関する国連科学委員会（ＵＮＳＣＡＲ）が被災地に入っていました。外国からいらした方々ですが、チェルノブイリ原発事故やイギリスのウィンズケール原子炉火災事故などの経験を踏まえて、避難されていた方々の話を聞きながら、放射能への科学的な理解を進める活動を非常にていねいにやっておられました。その後、地元自治体や政府関係者も加わって連携してプロセスを進めていきました。非常に時間はかかりますが、上から目線で説明するというアプローチではなく、避難しておられる方々と同じ目線で、一人一人が抱えている状況や悩みに向き合いながら正確な知識を伝えていくという取り組みは、効果があり、意味もあると感じました。とても手間がかかりますが、心の底から納得して受け止められる状況にならなければ問題は解決しません。一人一人と向き合うというプロセスが絶対不可欠だったというのが私の受けた印象です。

デジタルエシックスも同じです。社会の分断が起こるタイミングは対話がうまくいかなくなったときなのだと思いますが、幸い日本はそういう状況にはなっておらず、そのことは日本にとってはチャンスだと思います。デジタルエシックスについて、さまざまなステークホルダーがつながり、対話していく取り組みをいち早く始められれば、日本のデジタル化にとっても、そして日本の社会変革にとっても非常に大きな財産になると信じています。

田中 繁広
NEC執行役 Corporate SEVP
1985年に通商産業省（現経済産業省）に入省後、産業政策、通商政策、環境政策、中小企業政策等の広範な政策分野に携わる。2015年から福島原子力事故処理調整総括官。2019年から経済産業審議官。2021年7月に退官。2022年12月にNECに入社。

コラム

デジタルエシックスの未来はもう始まっている

トランジションコレクティブ創設者、デンマークデザインセンター前CEO **クリスチャン・ベイソン**

世の中に出回っている製品には、いいものもあれば悪いものもあります。ただ、AIと技術の革新がめまぐるしい今の時代には、我々がデザインする製品やサービスが、結果的に人々に深刻な悪影響を与えるリスクがますます大きくなっています。

技術によって、消費者を操作することはできるかもしれません。でも、できるからといってやるべきなのだろうか？　子どもや若者をスクリーン中毒にすることが技術的に可能だからといって、それをやってもいいのか？　テクノロジーを制限する法律はないからといって、我々はやるべきなのだろうか？

そこで出てくるのが、エシックスです。たとえできるとしても、やらない、ということです。

ここデンマークでは、保育園や幼稚園などで、タブレットなどを使うスクリーンタイムを政府として禁止すべきかどうか、国レベルでの大きな議論となっています。確かに、若い世代のメンタルヘルスは急激に悪化しており、巨大なテクノロジー企業は、自分たちの好きなようにビジネスをしているように見えます。政治家がこうしたビジネス上のエシックスや責任に踏み込んで、影響力を及ぼすことができない以上、これを規制する方法は「禁止」しかない、というわけです。

もしあなたが、生成ＡＩを含めたテクノロジーの可能性を信じていて、ＡＩは人々や社会、ひいては地球に影響を及ぼすことができると考えるなら、ビジネスと政府の間の相互作用について、もっとスマートな道を考えていく必要があります。

ビジネスの側には、大きなチャンスと同時に、エシックスの問題について答えを示す大きな責任があるのです。もしも、企業サイドが、自主的にエシックス問題についての解決策やアイデアを思い付いて提案していかなければ、少なくともいくつかの国の政府は、おそらく新たな技術を単純に規制しようとするでしょう。それはいい状況とはいえません。

たとえ3歳から5歳といった小さな子どもが日々の時間を過ごす空間であったとしても、ＡＩが有益な役割を果たしていくことは可能なはずなのです。コンピュータもタブレットといったデバイスも、正しい使い方をすれば善を生み出すものになり得るはずです。でも、それができることを証明しなくてはいけません。

いま現れつつある新たな技術と向き合う方法は、いくつかあります。一つの方法は、技術を可能な限りどこまでも進化させ続け、それまでの世界をどんどん覆していき、できることは何でもやっていい、と考える方法です。もう一つは、あらゆるデータをコントロールすることで、人々の行動までもコントロールしていくというやり方です。

デンマークデザインセンターでは、これらとは違う第三の道があると考えています。そこでは、我々が技術をデザインすることで、人々が成し遂げたいと思うことのために、技術が使われるようになります。テクノロジーへの中毒性をより減らしながら、より大きな自由を手にしていく方法です。

グローバルガバナンスとしてのデジタルエシックス

約4年前に、デンマークデザインセンターでは、デンマークのさまざまな業界の企業、組織、デザイナーたちと共に、デジタル社会の未来を描くワークショップを開きました。2050年の世界はどのような姿をしているのか、全く異なる4つの前提条件を基に、異なるシナリオを予測してみたのです。

これらの世界は、4つともかなり違った様相を呈していましたが、すべてのシナリオで唯一、共通して指摘されたことがありました。それが、エシックスの重要性でした。彼らはそろって、デジタル社会の未来にとって、エシックスが鍵となるだろうと指摘したのです。

　そこで我々は、産業界やデザイナーたちとパートナーシップを組み、「デジタルエシックスコンパス」の開発を始めました。出来上がったコンパスは、かなり包括的なものとなっています。これは、オンラインで誰でも無料で利用できるように公開しています。

　デジタルエシックスの取り組みというのは、ある程度、原子力技術や、遺伝子組み換え技術の分野で起きたことになぞらえることができます。つまり、人類にとっては、良いものである可能性がある一方で、悪いものであるリスクもあるということです。関係者同士の自発的な合意によって、自主規制を行うこともできれば、国家によって厳格に規制することもできる。国際社会の合意に基づくグローバルガバナンスの問題なのです。

　私は5年前、世界経済フォーラム（WEF）の中で、「アジャイルガバナンス」についてのグループに入っていました。アジャイルガバナンスとは、新たな技術の出現といった環境の変化に対して、政府や経済界が素早く対応し、その対応も次々とアップデートしていくガバナンスのモデルです。ここで、グローバルなコミュニティと対話をする中で、我々はすぐに、これはエシックスと責任にまつわる問題であると理解しました。

　企業の間で、いかに現場で起きていることや経験を共有しながら、責任を持って話し合いを行い、共通の基準を作っていくのか、という問題です。ですので、この本がデジタルエシックスの問題について世間に提示することで、NECが単独で取り組むだけでなく、その内容を共有しながら幅広く対話に関わることは、非常に意味のあることだと思っています。

エシックスは価値を生み出す

私が最近出版した著書『Expand: Stretching the Future By Design』では、一章分を使って「Proximity（近接性）」について書きました。近接性とは、どのようなことについて、もしくは誰について身近に感じ、それによって共感を覚えることができるのか、ということです。

なぜ共感が大事かというと、自分を他人の状況に置き換えて考えることが共感であり、それによって人はより倫理的に行動ができるからです。

エシックスとは、世界に対して価値を与えることができる人間の行動様式のことです。そして、自分が社会に価値を与えているという場合、誰に対して価値を与えているのか、についても理解しておかなくてはいけない。そこに、共感という要素が出てきます。

自分は誰を大切にしているのか？　どんな人を想定しながら、もしくはどんなことに注意を払いながら、デザインをしているのか？　その対象を、どうやったら拡大することができるだろうか？　文化の違いを超えて、いかにデザインをすべきか学ぶことができるだろうか？　ほかの生物はどうだろう？　人間だけではなく、地球上のほかの生物のことも考えながらデザインしていく必要があるのではないか？

何が価値あることなのかについては、数多くの領域で問いかけをすることができます。国連のグローバル目標（持続可能な開発目標、SDGs）は、その全てが価値の創造に関係する内容であり、人間社会と地球のための責任とエシックスについて問いかけているのです。私たちは、こうした分野の中で、私たちの能力と新たな技術をどう生かしていくかを考えるべきです。

ビジネスの役割の変化と競争力

社会におけるビジネスの役割も変わりつつあります。

企業の役割とは利益を上げることですが、それがますます問われるようになっています。EUは、企業が株主のために最大の利益を上げるだけでなく、気候変動や社会問題に取り組むことを〝合法化〟しようとし始めています。企業の社長や取締役たちが、株主のためにできるだけ多くの利益を上げようと努力しなければ、アメリカでもヨーロッパでも、そしておそらく日本でも、法律違反になってしまうからです。

しかし、もしもビジネスの役割というのが、環境問題や民主主義といった問題を解決するためにエシックス的に行動し、最新の技術を使って社会に付加価値を与えることだとしたらどうでしょう？　だとすれば、エシックスは企業にとって競争力となり得るでしょうか？

お金を稼ぐことは、企業を財政的に存続させるためには必要なことです。しかし、おのおのの企業の歴史を振り返ってみれば、その企業がそもそも存在している理由は、何かしらの問題解決にあったはずです。

社会のために問題を解決することが、利益を上げることにつながります。お金を稼ぐことに問題はありませんが、企業にとっては、それ自体が目的ではなかったはずです。もし従業員たちが、朝起きて、「私たちは利益を上げるためにここにいるんじゃない。我々は社会を良くするため、社会に価値を与えるためにここにいるのだ」と言い出したら、企業はどうなるのでしょうか。

そうすれば、四半期ごとの決算報告書も違ってくるはずです。どれだけ利益を上げたかということだけでなく、どれだけの価値を創造したかで測られることになります。どれだけきれいな水を人々に提供したか、どれだけ倫理的なデザインを学校に導入したか、どれだけの学びをもたらしたのか。そんなふうに、財務報告と社会的インパクトのバランスを取ることが、すでに世界で起き始めています。今後30年では、ますます増えるでしょう。

まずは社会に価値をもたらし、その上で利益を得る。その逆ではありません。こうしたことに無関心である企業は、新たな市場を開拓したり、優秀な人材を採用することがますます難しくなるでしょう。そんな組織では、誰も働こうとしないからです。

あなたの企業が長く存続してきて、それと同じくらいビジネスにとどまりたいと考えるのであれば、これは重大な問題です。ビジネスの最前線を走り続けたいなら、いち早くこの変化に対応しなくてはいけません。

新たな戦略などは必要ないのです。簡単な実験から始めるのも一つの手です。新しいやり方を試せる分野はここだ、と言ってみる。他の人たちと一緒に何かを学ぶことができるかもしれません。政府やＮＰＯといった組織と協力して、未来の教育について、モビリティの未来について、あるいは、あなたの会社が貢献できる社会的な影響について、どんな可能性があるのか探ってみることです。

価値を創造することで、新たなマーケットと、ビジネスチャンスが生まれます。そして、価値の創造を、責任を持って行うことが、長期的に事業を継続する方法なのです。

クリスチャン・ベイソン
Christian Bason
トランジションコレクティブ創設者
デンマーク政府のフューチャーセンター Mindlab代表、デンマークデザインセンターＣＥＯを経てトランジションコレクティブを創設。大学講師や政府機関のアドバイザーとしても活躍している。著書、共著書に『Expand: Stretching the Future By Design』『Design for Policy』『Leading Public Sector Innovation』などがある。

付録

日米欧のAIガイドライン動向

Invitation to
Digital Ethics

ＡＩに対するガイドライン・規制の動向

ＧＤＰＲ（ＥＵ一般データ保護規則）、ＤＳＡ（ＥＵデジタルサービス法）など、世界各国でデジタル技術やその社会実装に対するガイドライン・規制の制定が相次いでいます。日本でも、電子契約に対応した民法改正、自動運転に対応する道路交通法改正など、既存の法律や規制で、社会のデジタル化に対応するための改正が進められていますが、各国で同じような動きが出ています。これらの新しい法や規制の中には、デジタルエシックスに関するものも少なくありません。デジタル技術は技術面でも、社会実装の面でもまだ変化や発展を続けており、ガイドラインや規制もそれに対応して変化し続けています。付録として、デジタル技術の中でも、特にここ数年の変化が激しいＡＩに対する規制を巡る日米欧の状況を概観したいと思います。

ＡＩにガイドラインや規制を設けようとする動きは、世界各地、あるいはさまざまな団体において進んでおり、ＯＥＣＤや国連組織、ＥＵ、Ｇ20といった国際機関、各国政府・自治体、ＩＳＯやＩＥＣをはじめとする国際標準化機関、ＩＥＥＥをはじめとする学術団体や大学等がＡＩに関するガイドラインを発表しています。これらの多くは法による規制ではなく、非拘束的なガイドラインですが、それだけにＡＩの利活用に伴って発生し得る課題を根源的に検討し、包括的に網羅して、対応方法を検討しようとする志向を持っています。また、ＡＩは膨大なデータを使用することに加え、用途として自動化や人間の代行を行うケースが多いため、ＡＩガイドラインで言及されている課題は、デジタルエシックス上の課題そのもの、あるいはデジタルエシックスと深い関連のあるものがほとんどとなっています。さらに、AIガイドラインの動向からは、デジタル技術に対するガイドラインや規制がどのような考えの下、どのように策定されていくかという過程をリアルタイムで見て取ることもできます。

OECD AI原則

国際標準策定の動きの中で、現在、最も普遍性があると考えられているのが、第2章でも取り上げた「OECD AI原則（OECD AI Principles）」です。その発端は、2016年に日本で開催されたG7伊勢志摩サミットでした。G7情報通信大臣会合におけるAIの研究開発ガイドラインについての議論をOECDが引き継いで、2019年5月に採択されたものです。

その内容は第2章74〜76ページに掲載していますが、見ていただければわかるように、AIそのものの指針だけでなく、AIの利用による社会への影響を幅広く盛り込んでいるのが特徴となっています。そのため、ほとんどの項目がデジタルエシックスに関わるものとなっていますが、その中でも次の点が重点ポイントとして挙げられます。

1において、「包摂的成長と持続可能な発展、暮らし良さを促進すること」と「人々と地球環境に利益をもたらす」ことをAIに求めています。これらは、AIを利用するしないにかかわらず、人間のあらゆる活動に求められるものといえますが、日本でのデジタル化を巡る議論では忘れられがちです。デジタルエシックスを考える上で大前提と捉えておく必要があります。

2にある「法の支配、人権、民主主義の価値、多様性を尊重する」、3の「透明性を確保し責任ある情報開示を行う」は、AIによるバイアスが問題になっている近年の状況を先取りしたものといえますが、法の支配、人権、民主主義、多様性の尊重は基本的人権に関わる課題であり、特にヨーロッパ諸国が決して譲れない点です。また、「公平公正な社会を確保するために適切な対策が取れる―例えば必要に応じて人的介入ができる」という記述も、人間中心という原則に準じたものといえます。

4の「健全で安定した安全な方法で機能させるべき」「起こりうるリスクを常に評価、管理すべき」は、AIを含むシステム全体へのガバナンスを求めているといえます。

また、各国政府への提言では、「信頼できるAI」へ向けたイノベーション推進を求めるとともに、「情報を共有し標準を開発し、責任あるAIの報告監督義務を果たす」ための国際的・産業部門横断的協力を求めています。さらに、AIが導入された社会への移行へ向けて、労働者の技能取得と転職への支援も求めています。

エシックス標準の具体例

AIの国際標準については、先述のとおり多くの国や機関、企業等が策定、発表していますが、特に技術面を中心とした標準化作業の代表例といえるのが、情報技術分野における国際標準化組織であるISOとIECの技術委員会である「ISO/IEC JTC1」に、AIに関する国際標準を議論するために2017年に設置された「SC42」です。その活動の主たる

ISO/IEC JTC1 SC42の主たるワークグループ

WG1 Foundational standards	基礎的標準
WG2 Data	ビッグデータに関する規格、データ品質
WG3 Trustworthiness	信頼性、リスクマネジメント、バイアス
WG4 Use cases and applications	ライフサイクル、ユースケース
WG5 Computational approaches and computational characteristics of AI system	計算アプローチと計算的特徴

ワークグループと分担は上の表のようになっています。

2023年12月18日に、安全・安心なAIシステムの開発と利活用を目指して、AIマネジメントシステムの国際規格「ISO/IEC 42001」が発行されました。本規格の開発には、日本から多くの専門家が参加し、重要な提案を行い積極的に議論するなど貢献をしました。

OECD AI原則に比べれば技術面の検討課題が中心となっているISO/IEC JTC1/SC42においても、エシックスに関わる課題はいくつも取り扱われています。

代表的な例の一つが、AIのバイアスについてです。AIシステムおよびAIを利用した意思決定におけるバイアスについては、テクニカルレポートとして、「ISO/IEC TR 24027:2021 Information technology — Artificial intelligence (AI) — Bias in AI systems and AI aided decision making」が作成されています。そこでは、バイアスは、「特定のオブジェクト、人々またはグループへの対応において、他と比較したときの系統立った相違（systematic difference in treatment of certain objects, people, or groups in comparison to others)」と定義しています。この文書はテクニカルレポートのため、指針や標準を示唆するのではなく、まとめた時点での見解を列挙する形ではありますが、バイアスを人間の認知バイアス、データのバイアス、アルゴリズムのバイアスなど技術的決定によって導入されるバイアスに分類し、望ましくないバイアスの原因、公平性を評価する測定方法、回避方法について記述しています。

もう一つの例として、ヒューマンオーバーサイト、つまり人間によるAIのコントロールもエシックスに関わる課題といえます。こちらについては、「ISO/IEC AWI 42105 Information technology — Artificial intelligence — Guidance for human oversight of AI systems」の標準化作業が準備中です。制御可能なAIシステムのフレームワークについて標準化作業中の「ISO/IEC DTS 8200 Information technology — Artificial intelligence — Controllability of automated artificial intelligence systems」を拡張し、AIシステムの人間による制御と監視に関するガイダンスを提供することを目指すもので、人間によるAIシステムの統制と監視のためのガバナンス機構、そしてそのガバナンス機構に立脚したAIガバナンスをターゲットにしており、これらを技術的に実行可能な形で記述することを目指しています。

各国・地域のAI規制

EU　AI規則の一般原則

1	人間の主体性と監視（human agency and oversight）
2	技術的な堅牢性と安全性（technical robustness and safety）
3	プライバシーとデータガバナンス（privacy and data governance）
4	透明性（transparency）
5	多様性、無差別、公平性（diversity, non-discrimination and fairness）
6	社会的および環境的ウェルビーイング（social and environmental well-being）

EU AI規則

AIによるリスクへの対応として、ガイドラインにとどまらず法規制を制定する動きも出始めています。中でも、注目を集めているのがEUによるAI規則（EU AI Act）です。欧州委員会は2021年に草案を発表していましたが、生成AIの急速な普及を受けて規制項目を追加した規則案が2023年6月にEU欧州議会本会議で採択され、2024年施行を目指しています。

　EU AI規則は、AIのリスクへの対処と、AIの導入・AIへの投資・AIによるイノベーションの促進の両面を目的に掲げています。

　すべてのAIシステムに適用される一般原則としては、上の表の6点を挙げています。

　その上で、リスクベースのアプローチ、すなわち、AIの持つリスクに応じて規制内容を変えるという方法を採用しており、リスクの種類と規制を4つに分類しています。

1　許容できないリスクのあるAI：禁止。それぞれ厳密な条件はあるものの、潜在意識に働きかけるAI、子どもや障害者などを搾取するＡＩ、公的機関によるソーシャルスコアリングの利用、パブリックな場所でのリアルタイム遠隔生体識別システムの４つが挙げられています。
2　ハイリスクのＡＩ：規制。分野と利用方法の組み合わせが例示されています。たとえば、電気・水道・ガスなどのインフラの安全性を司る部分での利用、教育における入試や評価、雇用における面接や評価、プロファイリングによる犯罪・再犯予測、難民等への庇護・居住許可の検討、司法の運営などです。先に挙げた一般原則を中心にした多くの要件を満たす必要があり、提供者は事前に適合性評価手続きを受け、データベース登録することが義務付けられています。
3　限定的リスクのあるＡＩ：透明性に関する規制。チャットボットやディープフェイクが例に挙げられています。人間ではなくＡＩシステムが対応していることの表示、ディープフェイクに対してはＡＩによって生成されたコンテンツであることを表示するなどの透明性が義務付けられ、ハイリスクＡＩに対する規制の適用が奨励されています。
4　最小リスクのＡＩ：規制しない。ただし、限定的リスクのあるＡＩ同様、ハイリスクＡＩに対する規制を適用することが奨励されています。

一方、ＡＩによるイノベーション支援として、ＡＩの規制のサンドボックス制度を規定しています。これは、しかるべき機関の監督の下に、市場に導入する前にＡＩシステムの開発・試験・検証をするための環境を提供するものですが、まだその実効性は未知数です。

なお、ＥＵ ＡＩ規則は、加盟国ごとに国内法の整備が必要なＥＵ指令（directive）とは異なり、ＥＵ域内でこの規則が統一的に適用されます。また、ＥＵ域内をマーケットにする場合は、域外の事業者にもこの規則が適用されます。違反した場合の制裁金は、最大3500万ユーロあるいは全世界売上高の7%の高い方の金額と、GDPRの制裁金を上回る高額であり、適切な対応をしない場合にはAIシステムの市場からの取り下げを求める規定もあります。世界初の、AIに対する法による規制であるといえます（記載概要は本稿執筆時点）。

欧州評議会のAI条約

ヨーロッパでは、EUによるAI規則に加え、欧州評議会（CoE：Council of Europe）が、AI条約（Convention on Artficial Intelligence, Human Rights, Democracy and the Rule of Law：人工知能、人権、民主主義、法の支配に関する条約）の締結を目指して交渉を続けています。

欧州評議会とは、人権、民主主義、法の支配の保護・推進およびその履行監督・支援を目的に1949年に設立された国際機構で、フランスのストラスブールに置かれており、ヨーロッパの46カ国が加盟しています。日本も1996年からオブザーバー参加しています。独立した欧州議会・欧州委員会を持つEUとは異なり、加盟国政府の外相から成る閣僚委員会が意思決定機関となっています。条約の締結や専門委員会の設置などを通じて、加盟国間の協力による課題解決とヨーロッパの統合推進を目指しています。これまでの主な成果には、欧州人権条約、欧州人権裁判所の設置のほか、人権の保護、民主主義と法の支配の擁護、医薬品の品質基準策定等に関する、多くの条約や委員会があります。

デジタルに関連する分野でも、1980年の個人データの自動処理に係る個人の保護に関する条約（データ保護条約、2018年に改正）、2001年のサイバー犯罪に関する条約（ブダペスト条約）を採択しており、AIについても、人権・民主主義・法の支配の観点から議論を進めてきています。

2017年には加盟国の国会議員から成る議員会議が勧告「技術の集中：AIと人権」を採択し、人権保障に配慮したAIおよびインターネットガバナンスの世界的な基準共有の必要性を指摘。閣僚委員会がこれに対応して条約策定の議論を行うと回答しています。そして2019年にはハイレベル会合「AIの発展が人権・民主主義・法の支配に与える影響」を開催、同年にAIに関するアドホック委員会（CAHAI：Ad hoc Committee on Artificial Intelligence）を設置し、AIについての法的枠組みについて調査、検討を行っています。

そして2022年には、CAHAIの成果に基づき、AIに関する委員会（CAI：Committee on Artificial Intelligence）を設置し、2024年5月をめどに、AI条約（人工知能、人権、民主主義、法の支配に関する条約）の採択を目指しています。

公開されている「ゼロドラフト」の主な内容はEU AI規則と同じ方向性を持ったものですが、AI条約は枠組条約、すなわち、基本原則や目標を定めた条約で、目標の達成手段は締約国の裁量に任せる形の条約ということもあり、規定が概略的であったり、規制が縮小・緩和されている部分もあります。

CAIには、欧州評議会加盟46カ国に加え、オブザーバー5カ国とイスラエルが参加しています。また、欧州評議会が採択した条約は、加盟国以外も批准することができます。実際に、個人データの自動処理に係る個人の保護に関する条約は55カ国、サイバー犯罪に関する条約は68カ国が締約しており、後者はグローバルスタンダードとなっています。AI条約も、人権・民主主義・法の支配という価値観を共有する国々におけるスタンダードとなる可能性があるといえます。一方で、アメリカ、日本など、AIへの規制に関しては自主規制を軸にしたソフトロー路線を取っている国にとっては、軌道修正を求められる可能性もあります。この点については、次項で触れたいと思います。

日米欧のAI倫理ガイドライン

各地域のガイドラインの比較

ここまではEUのAI規則、欧州評議会のAI条約について述べてきましたが、AIに対する政府の姿勢は地域によって大きく異なっています。

豊田中研 都市・交通システムデザインプログラムの上村恵子氏らは、「日米欧の地域特性に着目したAI倫理ガイドラインの比較」で次のように述べています［上村，2018］。

「欧州のガイドラインの特徴は、人の権利や責任に重点を置いていることである」「米国のガイドラインの特徴は、AI技術による社会便益の最大化を進めると同時に、自律型兵器などの長期的なリスクにも積極的に言及している点である」、そして日本に関しては、「総務省や内閣府のガイドラインは、AI技術の普及促進と同時に、人々の不安解消を目的とした倫理原則に重点を置いており、例えば透明性、制御可能性、安全性やプライバシー保護など技術面の原則が中心となっている」。

また、一橋大学イノベーション研究センターの市川類氏は、国際機関、各国政府、民間団体等による各種AI原則が挙げるAIによって生じるリスクを、次の6つのカテゴリーに分類しています［市川, 2023］。

1 安全性に係るリスク：民生機器・サービス（自動運転、医療AIなど）
2 安全性に係るリスク：自律型致死兵器システム（LAWS）
3 人権・公平性に係るリスク：生体認証等によるプライバシー・個人情報保護問題
4 人権・公平性に係るリスク：公平性・非差別性（重要意思決定）
5 人権・公平性に係るリスク：社会信用スコアリング
6 個人の権利・自由・民主主義に係るリスク：ディープフェイク、生成型AIなど

また、市川氏は、規制の方法（法的形態）として、ハードロー／ソフトローという軸と垂直規制／水平規制という2つの軸を考察しています。ハードローとは、「法律等に基づく罰則等を伴うような規制。規制対象と遵守すべき手順などが厳密に規定される」ものであり、ソフトローとは法的拘束力を有しない行動規範、典型的には政府等が発表する企業の取り組みのための自主ガイダンスです。垂直規制とは分野や業種ごとの既存規制を修正・追加する方法であり、水平規制とは分野横断的に網羅的に規制を行う方法です。

これらの指摘を参考に、各国・地域のＡＩ原則やＡＩ規制を比較してみたいと思います。

ヨーロッパ

先述のように、ヨーロッパ諸国は、ＡＩを規制する方向で動いています。しかも、ＥＵ ＡＩ規則はハードローに基づく水平規制であり、ＡＩ全般に対する強力なガバナンスを志向するものといえます。

ヨーロッパ諸国がハードロー路線を明確にしたのは２０２０年に欧州委員会が発表した「ＡＩ白書」においてで、同白書はＡＩには基本的人権や民主主義に対するリスクがあり、新たな法制度が必要であるとしています。そしてそれがＥＵ ＡＩ規則制定へとつながっていきます。

強力な規制はイノベーションの勢いを削ぐ可能性もありますが、一方で他地域に先駆けて規制を導入することでグローバルな標準化や規制を主導し、それをＡＩ産業の競争力強化に結び付けられる可能性もあります。

アメリカ

アメリカでは、オバマ政権下の２０１６年に、ＮＳＴＣ（国家科学技術会議）が「ＡＩの未来に備えて（Prepering for the Future of Artificial Intelligence）」と題する報告書を発表し、23の提言を行っており、ＡＩの監視、規制やガバナンス、倫理教育などにも言及しています。トランプ政権下の２０１９年の大統領令「ＡＩにおけるアメリカのリーダーシップの維持」や、それを受けた「国家AIイニシアティブ法2020（National AI Initiative Act of 2020：NAIIA）」では、AIのガバナンス構造の確立や信頼できるAIシステムの開発と使用を提唱しています。同年に連邦行政管理予算局（OMB）が発行した「AIアプリケーションの規制に関するガイダンス（Guidance for Regulation of Artificial Intelligence Applications）」は、「AIのイノベーションと成長を促進することは、アメリカ政府の最優先事項である。新たな規制を控えることでAIの革新と成長を促進することは、場合によっては適切である。各省庁は、前述の項やその他の考慮事項に照らして、連邦規制が必要であると判断した後にのみ、新たな規制を検討すべきである」とした上で、次の10項目から成る、規制導入の際に留意すべきAIアプリケーションの管理原則を挙げています。

1　AIへの社会的信頼に貢献すること
2　規制採択プロセスへの市民参加
3　科学的誠実性と情報の質
4　リスク評価と管理
5　便益と社会的コスト
6　技術に中立でイノベーションを阻害しない柔軟性
7　公平性と無差別性
8　情報開示と透明性
9　安全性とセキュリティ

10　省庁間の調整

省庁別、すなわち垂直規制の方向性に加え、多くの項目でイノベーションと成長を阻害しないように、またアメリカ企業が不利益を被らないように配慮しながら検討すべしという方針が加えられています。

２０２１年のバイデン政権移行後も各省庁による既存規制の修正や新たなガイドライン作成、ＡＩ開発企業による自主規制を重視する垂直規制の姿勢を維持していましたが、２０２３年10月には、安全性とセキュリティの新基準、プライバシー保護、公平性、消費者・患者・学生の権利保護、労働者の支援、外国におけるアメリカのリーダーシップの促進などを掲げた「ＡＩの安心、安全で信頼できる開発と利用に関する大統領令（Executive Order on the Safe, Secure, and Trustworthy Development and Use of Artificial Intelligence）」を発令しました。大統領令には法的拘束力があり、アメリカもハードロー志向を取り入れる可能性が出てきたといえます。

日本

各国政府で最初に国際的なＡＩ原則を提唱したのは日本政府です。２０１６年に開催されたG7情報通信大臣会合において「ＡＩ研究開発ガイドライン策定に向けた議論の提案」を提示し、ＡＩを巡る社会的・経済的・倫理的課題に関し、国際的な議論を進めることに賛同を得ています。２０１７年には、総務省ＡＩネットワーク社会推進会議が、開発者を対象に次の9原則から成る「国際的な議論のためのＡＩ開発ガイドライン案」を公表しています。

1　連携の原則：AIシステムの相互接続性と相互運用性に留意する。
2　透明性の原則：AIシステムの入出力の検証可能性及び判断結果の説明可能性に留意する。
3　制御可能性の原則：AIシステムの制御可能性に留意する。
4　安全の原則：AIシステムがアクチュエータ等を通じて利用者及び第三者の生命・身体・財産に危害を及ぼすことがないよう配慮する。
5　セキュリティの原則：AIシステムのセキュリティに留意する。
6　プライバシーの原則：AIシステムにより利用者及び第三者のプライバシーが侵害されないよう配慮する。
7　倫理の原則：AIシステムの開発において、人間の尊厳と個人の自律を尊重する。
8　利用者支援の原則：AIシステムが利用者を支援し、利用者に選択の機会を適切に提供することが可能となるよう配慮する。
9　アカウンタビリティの原則：利用者を含むステークホルダに対しアカウンタビリティを果たすよう努める。

2019年には、内閣府統合イノベーション戦略推進会議が「人間中心のAI社会原則」を発表しています。基本理念として、人間の尊厳が尊重される社会、多様な背景を持つ人々が多様な幸せを追求できる社会、持続性ある社会の3つを掲げ、以下のような7つの原則から成っています（一部要約）。

1　人間中心の原則：AIの利用は基本的人権を侵すものであってはならない。人々がAIに過度に依存したり、ＡＩを悪用して人の意思決定を操作したりすることのないようにすること、ＡＩの利用にあたっては、人が自らどのように利用するかの判断と決定を行うこと、ＡＩの恩恵をすべての人が享受できるよう、使いやすいシステムの実現に配慮すべき。

2　教育・リテラシーの原則：ＡＩに関わる政策決定者や経営者は、ＡＩの正確な理解と社会的に正しい利用ができる知識と倫理を持っていなければならない。ＡＩの開発者は、ＡＩが社会においてどのように使われるかに関するビジネスモデル及び規範意識を含む社会科学や倫理等、人文科学に関する素養を習得していることが重要になる。

3　プライバシー確保の原則：パーソナルデータが本人の望まない形で流通したり、利用されたりすることによって、個人が不利益を受けることのないよう、データのプライバシーにかかわる部分については、正確性・正当性の確保及び本人が実質的な関与ができる仕組みを持つべきである。パーソナルデータの利活用と保護のバランスについては、文化的背景や社会の共通理解をもとにきめ細やかに検討される必要がある。

4　セキュリティ確保の原則：ＡＩの利用におけるリスクの正しい評価やそのリスクを低減するための研究等、ＡＩに関わる層の厚い研究開発（当面の対策から、深い本質的な理解まで）を推進し、サイバーセキュリティの確保を含むリスク管理のための取組を進めなければならない。

5　公正競争確保の原則：特定の国や企業にＡＩに関する資源が集中した場合においても、その支配的な地位を利用した不当なデータの収集や主権の侵害が行われる社会であってはならない。ＡＩの利用によって、富や社会に対する影響力が一部のステークホルダーに不当過剰に偏る社会であってはならない。

6　公平性、説明責任及び透明性の原則：ＡＩの利用によって、人々が、その人の持つ背景（人種、性別、国籍、年齢、政治的信念、宗教等）によって不当な差別を受けたり、人間の尊厳に照らして不当な扱いを受けたりすることがないように、公平性及び透明性のある意思決定とその結果に対する説明責任（アカウンタビリティ）が適切に確保されると共に、技術に対する信頼性が担保される必要がある。

7　イノベーションの原則：ＡＩ技術の健全な発展のため、プライバシーやセキュリティの確保を前提としつつ、あらゆる分野のデータが独占されることなく、国境を越えて有効利用できる環境が整備される必要がある。政府は、ＡＩ技術の社会実装を促進するため、あらゆる分野で阻害要因となっている規制の改革等を進めなければならない。

これらの原則に加え、「ＡＩ開発利用原則」として、オープンな議論を通じて国際的なコンセンサスを醸成し、非規制的で非拘束的な枠組みとして国際的に共有されることが重要であるとしています。

一方、経済産業省は、ＡＩ原則の実践の在り方に関する検討会の報告書として２０２１年に「我が国のＡＩガバナンスの在り方ｖｅｒ．１・１」を発表しています。この報告書は、ＡＩ技術の発展やその社会実装に法が追い付いていない状況ではルールベースの規制がイノベーションを阻害し得ると指摘されていることから、従来のルールベース型から、最終的に達成されるべき価値へ企業等を導くゴールベース型へとガバナンスの構造を変革することが求められているとしています。そして、非拘束的で中間的、すなわち「人間中心のAI社会原則」というゴールと各企業の自主的取り組み（AIポリシー、組織ガバナンス等）とのギャップを埋める中間的なガイドラインが求められているとし、行動目標と実践例等から成る「AI原則実践のためのガバナンス・ガイドラインVer.1.1」をあわせて公表しています。なお、日本政府は、2023年度内の公開をめどに、新たなAI事業者ガイドラインの策定に取り組んでいます。

今後のAI規制・ガバナンスの動向

このように、AI規制に関しては、ヨーロッパのEU、CoEがハードローによる水平規制を志向しているのに対し、アメリカはソフトロー志向を軸としながらハードローも導入する方針に転換する可能性が出てきています。日本は、イノベーション推進を重視し、規制を抑制するソフトロー志向の政策を基本としています。

この違いは、国や地域による社会規範の違いや産業競争力、産業戦略等、さまざまな要因によって生み出されたものなので、国際協調の重要性はどの国・地域も強調しているものの、簡単に国際的合意を得られるものではないでしょう。

一方で、EU AI規則は、EU域内をマーケットとする域外企業も対象としているため、世界各国が対応を迫られる可能性もあります。また、AI条約は欧州評議会非加盟のオブザーバー国も含めて議論が進められており、ヨーロッパ圏外の国へ広がる可能性があります。ヨーロッパのルールが世界全体に影響を与え、グローバルスタンダードとなる現象は「ブリュッセル効果」と呼ばれています。GDPRが世界各国に及ぼした影響が典型的なものですが、AI規則においても、ブリュッセル効果が発生する可能性もあるといえるでしょう。

AIガイドライン、規制はまだまだ固まったとは言いがたい状況にあり、その検討や国際交渉は今後しばらく続いていくでしょう。国外マーケットを対象にする企業は、その動向に十分注意する必要があります。

生成AIによる世界のAI規制への影響

最後に、一つの技術的ブレークスルーが、規制の検討に影響を与えている例に触れたいと思います。2022年11月にChatGPTが発表されて以来、世界的に大きな反響を引き起こしている生成AIの影響についてです。生成AIに対しては、身近なプライベートユースを含め、AIの普及を大きく進めるとの期待が寄せられると同時に、人間社会に新たなリスクをもたらす可能性も指摘されています。そのため、生成AIは世界のAI規制・ガバナンスの動向に少なからぬ影響を与えています。

生成AIの現時点での機能は、対話型で文章を書く、指示に対応した画像を作り出すなどですが、生成物がAIによるものなのか人間によるものか判別がつきにくい点、人間に比べて短時間に大量の結果を生成できる点、そして学習に使用したデータや生成物の著作権上の扱いなどが、新たなリスク要因と考えられています。また、生成物があまりに人間が作るものに近いため、人間を超えるAIに対する漠然とした脅威を想起させている一面もあるでしょう。

生成AIのリスクに最初に反応したのは、アメリカの非営利団体であるFuture of Life Institute（FLI）でした。2023年3月に、すべてのAI研究組織はGPT-4よりも強力なAIの開発を直ちに中断し、少なくとも6カ月間は停止すべきである、その間にAI研究組織は第三者機関による監査を受け安全性を保証すべきであるとする公開書簡を公表しました。著名なAI研究者やコンピュータサイエンス研究者らが署名していたこともあり、この公開書簡は大きな注目を集めました。AI研究組織の多くは、開発中断には否定的ながら、安全性に向けた自主的な取り組みを公表するという反応を示しています。

アメリカ政府もAI開発企業の自主的な取り組みを支持する姿勢を明らかにしています。バイデン大統領は2023年5月にAI開発企業4社、7月には7社の代表をホワイトハウスに招集して会合を開いており、その席でAI開発企業は、AIの安全性、セキュリティ、透明性の高い開発に向けた自発的な取り組みを約束しています。

一方、ヨーロッパでは、2023年3月に、イタリアの個人データ保護当局が、年齢確認制度が欠如していること、個人データが違法に収集されていることがGDPRに違反しているとして、ChatGPTへのアクセスを停止しています。約1カ月後には、対策が講じられたとしてアクセスが解除されましたが、生成AIの要ともいえる学習用データ収集がデータ保護規制の対象になり得ることを示しました。

2023年6月に欧州議会で採択されたEU AI規則案にも、生成AIに対する新たな規制や規制の強化が盛り込まれています。具体的には、開発前・開発中からのリスク評価、エネルギー・資源使用量の基準、著作権法遵守等に加え、生成物にAIで生成されたことを明示することや学習に使用したデータの公開を含む透明性が義務付けられています。

日本では、内閣府を中心に、セキュリティ、プライバシー、著作権に関する検討は行われているものの、大規模言語モデル（LLM）に代表されるAIの進化と社会実装を新たな経済成長の起爆剤とする、イノベーション・開発促進重視の姿勢は変わっていません。

生成AIによるAI規制への影響を議論する上での大きな課題の一つは、「基盤モデル（foundation model）」や「大規模言語モデル（LLM）」、「生成AI」とは何かという明確な定義や共通認識がないまま、さまざまな場で多様な議論が進んでいることです。そのため、現在、AIの用語に関するコンセンサスベースの国際標準として、「ISO/IEC 22989:2022 Information technology — Artificial intelligence — Artificial intelligence concepts and terminology」の改訂がISO/IEC JTC1/SC42において急がれています。

G7広島サミットと広島AIプロセス

生成AIを対象にした国際的ルール作成の動きとしては、2023年5月に開催された第49回先進国首脳会議（G7広島サミット）で設置が指示された「広島AIプロセス」が挙げられます。

G7広島サミット首脳宣言は、「我々の共有する民主主義的価値に沿った、『信頼性のあるAI』という共通のビジョンと目標』を達成するために、包摂的なAIガバナンス及び相互運用性に関する国際的な議論を進める」としています。そして、信頼できるAIという共通のビジョンと目標を達成するためのアプローチと政策手段がG7諸国間で異なり得ることを認識しつつも、AIガバナンスおよびAIガバナンスの枠組み間の相互運用性に関する国際的な議論の重要性を強調し、デジタル・技術大臣会合で承認された「AIガバナンスの相互運用性を促進等するためのアクションプラン」を歓迎するとしています。

また、生成AIについては、OECDおよびGPAI（Global Partnership on Artificial Intelligence、人間中心の考え方に立ち、「責任あるAI」の開発・利用を実現するため設立された官民国際連携組織）と協力しつつ、G7の作業部会を通じて広島AIプロセスを創設するよう指示。この議論には、ガバナンス、知的財産権保護、透明性促進、偽情報への対策およびこれらの技術の責任ある活用といったテーマを含み得るとしています。

この指示を受けて、5月30日に広島AIプロセスが発足し、高度なAIの開発者を対象にした国際的な指針および行動規範を年内に策定することで合意しました。9月には閣僚級の初会合を開き、閣僚声明には、「生成AIに関するG7の共通理解に向けたOECDレポート（G7 Hiroshima Process on Generative Artificial Intelligence）」に基づく優先的なリスク、課題、機会の理解と、偽情報対策に資する研究の促進等のプロジェクトベースでの協力が盛り込まれています。さらに12月にはデジタル・技術大臣会合において、偽情報対策の研究推進や、利用者のデジタルリテラシーの向上などを盛り込んだ「広島AIプロセスG7デジタル・技術閣僚声明」を採択し、2024年以降の作業計画にも合意しました。本声明は、生成AI等の高度なAIシステムへの対応を目的とした初の国際的枠組みとして、高い期待が寄せられています。また、今後進められる「広島AIプロセス推進作業計画」では、本声明のより多くの国・企業等への波及を目的とした取り組みや、国際機関とのプロジェクトベースの協力継続など、枠組みの最大化に向けたアプローチが進められる見込みです。

コラム

ルールを機能させるためには何が必要か

ＮＥＣ環境・品質統括部エバンジェリスト（ＡＩ・ＱＭＳ・法務）　北村 弘

ＡＩに対するガイドライン、規制等のルールを紹介してきましたが、ルールメイキングを考えるに際しては、そもそも社会システムとしてのルール（規制）や組織ルールはどうあるべきか？を考え直す必要があります。

まず、社会システムとしてのルールについて、ＡＩガイドライン・ＡＩ規制を例に考えてみます。

グローバルレベルはもちろん、国家レベルでも社会規制の策定には調整や合意に時間を要するため、ＡＩのようにいまだ発展途上で、現在進行形で劇的に日々進化する先進技術に対する規制は、政策と技術の間にギャップが生じるのは避けられません。

また、予防原則を過度に適用した厳格な規制は、実行面の担保が難しいのに加え、ＡＩソリューションを活用した社会システムの成長と発展への熱意を阻害してしまう懸念もあります。そのため、ＡＩに対する規制には新たな形が求められます。ＡＩによるリスクに対する安心・安全を前提とした、言わば高速走行を可能にする高速ガイドラインのようなものに進化していくことが予想できます。規制の構成も、原則に基づく固定的な規制と、現時点では予測不可能なものを含めて、インシデントに対応して即時フィードバックできるような変動的な規制とのハイブリッド構成が考えられます。

また各国や組織によるさまざまな規制が存在する状況では、個々の規制が相互に排他的であってはならないのは言うまでもありません。ＡＩ開発者・利用者が難解なパズルのかけらを探して組み合わせに悩むような状況にしてしまっては、規制の実行が困難になり、イノベーションを萎縮させる結果を生むだけでしょう。そのためには、既存の枠組みを超えた協調が必要であり、ＡＩのユースケースでの規制のテストランを通じて、規制の実行性を担保し予防処置を講じる重要性が高まっているといえます。

社会システムのルールと対を成す組織ルールについてはどうでしょう？

企業などで適用される組織ルールには、因果律が成立する部分のルール、秩序として確実性を求める部分のルールと、即時性、すなわちその時々で変えるべきルールの部分がります。これらを「十把一絡げ」でルール化しようとすると、ルール順守意識が希薄になりルールが形骸化しやすくなります。

また、良いルールも悪いルールも、自分事思考、すなわちルールがあるから守るのではなく、なぜそのルールが必要かを理解し、目的思考で自律的に動ける環境作りが必要です。そのためには、ルールの目的を十分に理解できる環境を組織が提供できることが必要です。デジタル時代に求められるマネジメントシステムの発展範囲は広く、組織ルールで縛れるのは狭い範囲です。そもそも発展を阻害する組織ルールは望ましくないでしょう。自律性を前提に、発展性が期待できる部分には組織ルールを決めない覚悟も必要です。

さらに、規範や道徳も社会や組織文化で異なります。初めに組織ルールありきではなく、組織ルールで縛れ、制御できる根拠と前提を組織で徹底的に議論し、組織でルール化できないところについてはなぜルール化できないかを考え、ルール化するところ、ルール化できないところ、ルール化してはいけないところ、この3つの根拠を出した上で組織ルールを策定すればよいのではないでしょうか。

将来が確定していない、特にAIのような激しい変化への対応が求められるものでは、必ずしも求めていた結果が出せないことがあります。大切なことは、問題が起こったことがわかったらどうアクションを取るかです。ルールは見直すことがあることを前提に、何があったら見直すのか?を常に考え続けることが大切です。そうすることが、ルールを機能させるための方策につながっていくのです。

おわりに

本書の代表執筆者である私は、顔認証技術の専門家として、製品を世界70カ国に展開してきました。その過程で、欧米の企業や政府関係者とは、リスクがある際には、どう合理的にそのリスクを回避するかを議論することが多かったように思います。こういう場合はどうか、また別の可能性があるのか、技術の専門家として根掘り葉掘り聞かれました。しかし日本では議論があまり深まらず、少しでもリスクがある場合には、リスクがある可能性があるので導入は難しいと判断されることが多かったように思います。もちろん、最終的な判断をどうすべきかはその時々の状況によりますが、もう少しきちんと議論したかったという思いが本書を構想したきっかけです。デジタルエシックスコンパスの開発者であるブライアン・フランセンさんが、エシカルな思考は筋トレのようなもので、毎日少しずつ考えることで〝エシックス筋〟が鍛えられると話していたのが印象的でした。エシックスに基づく対話の文化がもう少し日本社会に広がることによって、日本社会が少しでも良い方向に変わればという思いです。

本書には、世界競争力ランキングにおいてデンマークが非常に高く評価され、日本のランキングが年々下がっていることを書きました。では、デンマークがすべて良くて、日本がすべて劣っているのか？　そうではありません。デンマークと日本を比較すると、デンマークの方がヘルスケア、国民ＩＤなど社会システムが整っているように感じました。一方、日本は、コンビニエンスストアが数多くあったり、エレベーターがよく制御されていて速いなど、日常生活において非常に便利な社会システムができているように思います。デンマークで取材した日本人駐在者の話で印象的だったのが、デンマークに来て4年間で3回しか現金を払ったことがないということでした。それほどデンマークでは、デジタル決済が徹底されています。一方、日本におけるデジタルというと、たとえば駅のICカード自動改札機はスループットがとても速く、非常によくできていると感じます。デンマークの自動改札機は壊れているものやレスポンスが遅いものもあり、端末システムは日本に軍配が上がる感じです。でも実は、このようにデンマークと日本を比べることには意味はありません。良いところは取り入れていくという柔軟な考え方で進めていくのがよいと思います。

今回取材したオランダのダーク・ローバックさんは、オランダはオランダでいろいろな問題があると話していました。デンマークで取材した企業の方も、デンマーク人の議論はいつも発散して、なかなか収束しないと笑いながら話していたのが印象的でした。ただ、何度も日本を訪問しており、日本社会をよく知っているローバックさんは、日本人はもう少し前向きに議論できるといいよねとも話されていました。何気ない一言ですが、その辺りに日本を浮上させるきっかけ、その本質が含まれているような気がします。

ここで、本書にご協力、ご支援いただいた方々のお名前を挙げて、感謝の意を表します。

NECデジタルプラットフォームBUの皆さん、本書執筆の機会を与えてくださった吉崎敏文Corporate EVP兼CDO、本書の執筆のきっかけとなる講演会をご一緒下さった隅屋輝佳さん、SDGsデジタル社会推進機構の木暮祐一先生、長田秀樹さん。ありがとうございました。

デンマーク取材でたいへんお世話になった株式会社Laereの外川綾音さん、坂本由紀恵さん。現地取材をしていただいた井上陽子さん。デンマークでの暮らしについても教えていただいたKMDのハンス・ジャヤティッサさん、根津聡さん、桜井明博さん。エシックスの重要性に気付かせてくださったデンマークデザインセンター（取材当時）のクリスチャン・ベイソンさん、クリスティーナ・メランダーさん、サラ・ストリーグルさん、ブライアン・フランセンさん、NECソリューションイノベータの山田博一さん。喜んで取材を受けていただいたエメントのミッケル・ベックさん、リン・サリンさん、ハウディのラスムス・ハートゥングさん、コントラプンクトのフィリップ・リネマンさん、ボー・リネマンさん、ヨハン・ラペエッツさん、DSB-Digital Labsのイディル・アルデミルさん、チャーリータンゴのラスムス・サンコさん、リア・センデロヴィッツさん、そしてロスキレ大学の安岡美佳先生。皆さんには、デジタル社会の進め方とエシックスの重要性を教えていただきました。フォルケホイスコーレInternational People's College校長のソーレン・ラウンビェアグさんにはデンマークにおける温かみがある教育を体験させていただきました。

コラムに快くご協力いただいたスーザン・リオトーさん、ダーク・ローバックさん、田中繁広Corporate SEVP、トランジションについて本書での紹介を認めてくださいました明治大学 松浦正浩先生、ありがとうございました。

本書の執筆に当たっては、NECフェロー室 松本真和さん、高田沙知子さん、増田美玲さんに終始サポートしてもらいました。感謝し尽くせません。DXのThought Leadership担当の押山知子さん、駒込郁子さんには、本書執筆の最初から全面的に支えていただきました。心から感謝いたします。編集者の稲田敏貴さんには本当にお世話になりました。温かい言葉と鋭い指摘がなければ本書はできませんでした。

最後に、私自身は企業人でテクノロジーの専門家でありますが、テクノロジーと対話を中心としたエシックスは両輪で進めていくものと考えています。社会の一員として、真摯な姿勢（integrity）を持てる企業のみが、未来の社会を創る企業として継続していくことができると信じています。本書が皆さんと対話するきっかけになれば幸いです！

2024年1月

NECフェロー　今岡　仁

参考文献

第1章

World Competitiveness Ranking 2023, IMD - International Institute for Management Development, https://www.imd.org/centers/wcc/world-competitiveness-center/rankings/world-competitiveness-ranking/

World Digital Competitiveness Ranking 2023, IMD - International Institute for Management Development, https://www.imd.org/centers/wcc/world-competitiveness-center/rankings/world-digital-competitiveness-ranking/

『B Corp ハンドブック よいビジネスの計測・実践・改善：よいビジネスの計測・実践・改善』ライアン・ハニーマン、ティファニー・ジャナ／２０２２年／バリューブックス・パブリッシング

「GOVERNANCE INNOVATION Society5.0の実現に向けた法とアーキテクチャのリ・デザイン」経済産業省

第2章

「careとethicsの語源とその本質」江藤裕之／日本看護倫理学会誌VOL.14 NO.1／２０２２年

『世界の辺境とハードボイルド室町時代』高野秀行、清水克行／２０１６年／集英社インターナショナル

『言語が違えば、世界も違って見えるわけ』ガイ・ドイッチャー／２０２２年／ハヤカワ文庫ＮＦ

『ＡＩ倫理－人工知能は「責任」をとれるのか』西垣通、河島茂生／２０１９年／中公新書ラクレ

『ウェルビーイングの設計論－人がよりよく生きるための情報技術』ラファエル・A・カルヴォ＆ドリアン・ピーターズ／２０１７年／ビー・エヌ・エヌ新社

『本質から考え行動する科学技術者倫理』金沢工業大学・科学技術応用倫理研究所編／２０１７年／白桃書房

「Digital Ethics orientation, Values and Attitude for a Digital World」pwc／https://www.pwc.de/en/consulting/digital-ethics.html

「Digital Ethics Ethical 'now' for a resilient 'next'」Deloitte／https://www2.deloitte.com/in/en/pages/risk/articles/digital-ethics.html

『Understanding Digital Ethics: Cases and Contexts』Jonathan Beever他／２０１９年／routledge

「Digital Ethics: Its Nature and Scope」Luciano Floridi 他／The 2018 Yearbook of the Digital Ethics Lab／２０１９年／Springer

「The history of digital ethics」Vincent C. Müller, Oxford handbook of digital ethics／２０２２年／Oxford University Press

『科学哲学への招待』野家啓一／２０１５年／ちくま学芸文庫

『テクノロジーの世界経済史　ビル・ゲイツのパラドックス』カール・Ｂ・フレイ／２０２０年／日経ＢＰ

「How the Kodak Brownie Changed Privacy Rights Forever」MATT WILLIAMS, https://petapixel.com/2021/10/19/how-the-kodak-brownie-changed-privacy-rights-forever/.

「プライバシーの権利―起源と生成―」小町谷育子、国立公文書館（編）／国立公文書館／２００４年／アーカイブズ

『科学技術と政治』城山英明／２０１８年／ミネルヴァ書房

「安全とは作法である――エビデンスを尋ねることから始まる新しい社会」岸本充生／２０１６年／https://synodos.jp/opinion/society/18165/
『責任ある科学技術ガバナンス概論』標葉隆馬／２０２０年／ナカニシヤ出版
『コンヴィヴィアリティのための道具』イヴァン・イリイチ／２０１５年／ちくま学芸文庫
『人間機械論――人間の人間的な利用 第2版【新装版】』ノーバート・ウィーナー／２０１４年／みすず書房
「情報倫理概論」社団法人私立大学情報教育協会／１９９５年／https://www.juce.jp/LINK/report/rinri/mokuji.htm
「コンピュータ・プログラムの著作権法と特許法とによる保護の変遷」木村勢一／パテント第6巻 60号／２００７年
「個人情報の保護をめぐる法制度・ガイドラインの概要」越野裕子／TRC EYE／２００２年／東京海上ディーアール株式会社
「情報リテラシー教育のいま 情報リテラシー概念の日本的受容 ―学校図書館と情報教育の見地から―」河西由美子／情報の科学と技術 第67巻 10号／２０１７年
「The Path to Self-Sovereign Identity」Christopher Allen／http://www.lifewithalacrity.com/2016/04/the-path-to-self-sovereign-identity/
『これからの「正義」の話をしよう』マイケル・サンデル／２０１１年／ハヤカワ・ノンフィクション文庫
「自動運転車は誰を救うべきか「究極の選択」国民性に違い」Karen Hao／https://www.technologyreview.jp/s/109713/a-global-ethics-study-aims-to-help-ai-solve-the-self-driving-trolley-problem/
「ＯＥＣＤ、生成ＡＩの台頭で国際指針の見直しへ」独立行政法人労働政策研究・研修機構／https://www.jil.go.jp/foreign/jihou/2023/06/oecd_01.html
「人間中心のＡＩ社会原則」統合イノベーション戦略推進会議決定／２０１９年／https://www8.cao.go.jp/cstp/aigensoku.pdf
「Principled Artificial Intelligence: Mapping Consensus in Ethical and Rights-based Approaches to Principles for AI」Jessica Fjeldほか／The Berkman Klein Center／２０２０年
『ＡＩ社会の歩き方―人工知能とどう付き合うか』江間有沙／２０１９年／DOJIN選書
「グーグルの「ＡＩ倫理」委員会、社員の猛反発を受け閉鎖に」Jillian D'onfro／２０１９年／https://forbesjapan.com/articles/detail/26508
「In 2020, let's stop AI ethics-washing and actually do something」Karen Hao／https://www.technologyreview.com/2019/12/27/57/ai-ethics-washing-time-to-act/

第3章

デンマーク　デジタル庁／https://en.digst.dk/
「デンマークのデジタルガバメント」安岡美佳／２０２０年／https://www.sci-japan.or.jp/vc-files/member/secure/speakers/20201119.pdf
『北欧のスマートシティ』安岡美佳、ユリアン・森江・原・ニールセン／２０２２年／学芸出版社

第5章

『人及び動物の表情について』ダーウィン／１９３１年／岩波文庫
「医師の働き方改革」厚生労働省／https://www.mhlw.go.jp/stf/seisakunitsuite/bunya/kenkou_iryou/iryou/ishi-hatarakikata_34355.html
「スマートホスピタルを目指して」冨永悌二／https://www.hosp.tohoku.ac.jp/webmagazine/feature/508/

「ＡＩ原則実践のためのガバナンス・ガイドライン ver. 1.1」経済産業省／https://www.meti.go.jp/shingikai/mono_info_service/ai_shakai_jisso/pdf/20220128_1.pdf

「次世代医療基盤法」とは　内閣府健康・医療戦略推進事務局／https://www8.cao.go.jp/iryou/gaiyou/pdf/seidonogaiyou.pdf

「個人情報の保護に関する法律についてのガイドライン（通則編）」個人情報保護委員会／https://www.ppc.go.jp/personalinfo/legal/guidelines_tsusoku/

「人を対象とする医学系研究に関する倫理指針」文部科学省、厚生労働省／https://www.mhlw.go.jp/file/06-Seisakujouhou-10600000-Daijinkanboukouseikagakuka/0000153339.pdf

第6章

『倫理の力』スーザン・リオトー、海後礼子訳／２０２２年／潮出版社

『トランジション 社会の「当たりまえ」を変える方法』松浦正浩／２０２３年／集英社インターナショナル

「「我々はいつも迷子、だから楽しい」、台湾デジタル大臣がＡＩ時代の生き方を助言／谷島宣之／日経クロステック2021.1.14／日経ＢＰ／https://xtech.nikkei.com/atcl/nxt/column/18/01033/010700009/

『ゴール＆ストラテジ入門：残念なシステムの無くし方』／Victor Basili他／２０１５年／オーム社

第7章

「２０２２ エデルマン トラストバロメーター」Edelman／https://www.edelman.jp/sites/g/files/aatuss256/files/2022-03/2022%20Edelman%20Trust%20Barometer_Japan%20Report_J.pdf

「ビジネスの境界を揺らす「ＮＥＸＴ１００」とは」／瀬戸久美子／Forbes JAPAN２０２３年6月号

「アジリティ」／日本の人事部／https://jinjibu.jp/keyword/detl/880/

『令和3年版 情報通信白書』第1部　特集　デジタルで支える暮らしと経済／総務省／https://www.soumu.go.jp/johotsusintokei/whitepaper/r03.html

「日本の競争力は「過去最低」の世界35位。「世界競争力ランキング２０２３」衝撃の結果」／荒幡温子／BUSINESS INSIDER／https://www.businessinsider.jp/post-271462

「２０２３年世界デジタル競争力ランキング日本は総合32位、過去最低を更新」IMD - International Instiute for Management Development／https://www.imd.org/news/world_digital_competitiveness_ranking_202311/

「世界で伸びている企業の共通点「ＬＦＰ」とは何か？」遠藤功／THE21 ２０１６年2月号／ＰＨＰ研究所／https://the21.php.co.jp/detail/2726

「ミッション思考の経済産業政策」経済産業省／https://www.meti.go.jp/shingikai/sankoshin/shin_kijiku/pdf/005_04_00.pdf

『ミッション・エコノミー：国×企業で「新しい資本主義」をつくる時代がやってきた』マリアナ・マッツカート／２０２１年／NewsPicksパブリッシング

「【緊急提言】このままでは日本滅亡？なぜ日本は変わらないのか」奥井奈々／https://newspicks.com/news/5538743/body/

『ビジネス倫理10のステップ―エシックス・オフィサーの組織変革』ドーン・マリー・ドリスコル、Ｗ・マイケル・ホフマン／２００１年／生産性出版

『Expand: Stretching the Future By Design』Christian Bason／Jens Martin

Skibsted／２０２２年／Matt Holt
「ビジネス法務 Vol.21 No.6」／２０２１年／中央経済社
「会社法務Ａ２Ｚ ２０２０年12月号」／２０２０年／第一法規
「デンマークから学ぶ、デジタルを真の競争力に転換する秘訣とは」PRESIDENT Online／https://president.jp/articles/-/67771
「ＡＩ時代の事故責任の在り方について」デジタル庁／https://www.digital.go.jp/assets/contents/node/basic_page/field_ref_resources/03735227-d301-4bec-a678-96e036d917ea/b30622e9/20230920_meeting_administrative_research_working_group_outline_04.pdf
「人新世と法 －稲谷龍彦×宇佐美誠×水野祐 鼎談」高橋未玲／HITE Media／https://hite-media.jp/journal/385/
『Designs for the Pluriverse: Radical Interdependence, Autonomy, and the Making of Worlds』Arturo Escobar／２０１８年／Duke University Press
『組織の限界』ケネス・Ｊ・アロー／１９９９年／岩波書店
『世界は「関係」でできている：美しくも過激な量子論』カルロ・ロヴェッリ／２０２１年／ＮＨＫ出版

付録

Recommendation of the Council on Artificial Intelligence／https://legalinstruments.oecd.org/en/instruments/OECD-LEGAL-0449
ISO/IEC JTC1/SC42／https://jtc1info.org/sd-2-history/jtc1-subcommittees/sc-42/
ISO/IEC TR 24027:2021 Information technology - Artificial intelligence (AI) - Bias in AI systems and AI aided decision making／https://www.iso.org/standard/77607.html
ISO/IEC AWI 42105 Information technology - Artificial intelligence - Guidance for human oversight of AI systems／https://www.iso.org/standard/86902.html
ISO/IEC DTS 8200 Information technology - Artificial intelligence - Controllability of automated artificial intelligence systems／https://www.iso.org/standard/83012.html
EU AI Act／https://www.euaiact.com/
Convention for the Protection of Individuals with regard to Automatic Processing of Personal Data／https://rm.coe.int/1680078b37
Modernised Convention for the Protection of Individuals with Regard to the Processing of Personal Data／https://search.coe.int/cm/Pages/result_details.aspx?ObjectId=09000016807c65bf
Convention on Cybercrime／https://rm.coe.int/1680081561
「Revised Zero Draft [Framework] Convention on Artificial Intelligence, Human Rights, Democracy and the Rule of Law」／https://rm.coe.int/cai-2023-01-revised-zero-draft-framework-convention-public/1680aa193f
「日米欧の地域特性に着目したＡＩ倫理ガイドラインの比較」上村恵子、小里明男、志賀孝広、早川敬一郎／https://www.jstage.jst.go.jp/article/pjsai/JSAI2018/0/JSAI2018_3H1OS25a01/_article/-char/ja/
「世界の人工知能（ＡＩ）ガバナンス制度の進化メカニズム」市川類／https://pubs.iir.hit-u.ac.jp/admin/ja/pdfs/show/2576
「Prepering for the Future of Aartificial Intelligence」／https://obamawhitehouse.archives.gov/sites/default/files/whitehouse_files/microsites/ostp/NSTC/preparing_for_the_future_of_ai.pdf
「National AI Initiative Act of 2020」／https://oecd.ai/en/wonk/documents/united-states-national-ai-initiative-act-of-2020-2020
「Guidance for Regulation of Artificial Intelligence Applications」／https://www.whitehouse.gov/wp-content/uploads/2020/11/M-21-06.pdf
「Blueprint for an AI Bill of Rights: A Vision for Protecting Our Civil Rights

in the Algorithmic Age」／https://www.whitehouse.gov/ostp/news-updates/2022/10/04/blueprint-for-an-ai-bill-of-rightsa-vision-for-protecting-our-civil-rights-in-the-algorithmic-age/

「Proposal of Discussion toward Formulation of AI R&D Guideline」／https://www.soumu.go.jp/joho_kokusai/g7ict/english/main_content/ai.pdf

「国際的な議論のためのＡＩ開発ガイドライン案」／https://www.soumu.go.jp/main_content/000499625.pdf

「人間中心のＡＩ社会原則」／https://www8.cao.go.jp/cstp/aigensoku.pdf

「我が国のＡＩガバナンスの在り方ver. 1.1」／https://www.meti.go.jp/shingikai/mono_info_service/ai_shakai_jisso/pdf/20210709_1.pdf

「ＡＩ原則実践のためのガバナンス・ガイドラインVer. 1.1」／https://www.meti.go.jp/shingikai/mono_info_service/ai_shakai_jisso/pdf/20220128_1.pdf

「Pause Giant AI Experiments: An Open Letter」／https://futureoflife.org/open-letter/pause-giant-ai-experiments/

「Biden-Harris Administration Announces New Actions to Promote Responsible AI Innovation that Protects Americans' Rights and Safety」／https://www.whitehouse.gov/briefing-room/statements-releases/2023/05/04/fact-sheet-biden-harris-administration-announces-new-actions-to-promote-responsible-ai-innovation-that-protects-americans-rights-and-safety/

「Biden-Harris Administration Secures Voluntary Commitments from Leading Artificial Intelligence Companies to Manage the Risks Posed by AI」／https://www.whitehouse.gov/briefing-room/statements-releases/2023/07/21/fact-sheet-biden-harris-administration-secures-voluntary-commitments-from-leading-artificial-intelligence-companies-to-manage-the-risks-posed-by-ai/

「Provvedimento del 30marzo 2023 [9870832]」／https://www.garanteprivacy.it/web/guest/home/docweb/-/docweb-display/docweb/9870832

「G7 Hiroshima Leaders' Communiqué」／https://www.mofa.go.jp/mofaj/files/100506875.pdf

「G７広島首脳コミュニケ（仮訳）」／https://www.mofa.go.jp/mofaj/files/100507034.pdf

「G7 Action Plan for promoting global interoperability between tools for trustworthy AI」／https://www.soumu.go.jp/main_content/000879104.pdf

「ＡＩガバナンスの相互運用性を促進等するためのアクションプラン（仮訳）」／https://www.soumu.go.jp/main_content/000879098.pdf

「G7 Hiroshima Process on Generative Artificial Intelligence」／https://www.soumu.go.jp/main_content/000900470.pdf

「G７広島ＡＩプロセス　G７デジタル・技術閣僚声明（仮訳）」／https://www.soumu.go.jp/main_content/000900471.pdf

「G7 Hiroshima Process on Generative Artificial Intelligence」／https://www.oecd.org/digital/g7-hiroshima-process-on-generative-artificial-intelligence-ai-bf3c0c60-en.htm

「欧州評議会ＡＩに関する委員会（ＣＡＩ）ＡＩ条約交渉の概要」岩城光、平野徹之／https://www.meti.go.jp/shingikai/mono_info_service/ai_shakai_jisso/pdf/2022_008_03_00.pdf

「内閣府ＡＩ事業者ガイドライン案／https://www8.cao.go.jp/cstp/ai/ai_senryaku/7kai/13gaidorain.pdf

執筆者一覧

代表執筆者

今岡 仁（全体監修）
NECフェロー。顔認証で米国国立標準技術研究所主催のベンチマークで世界No．1評価を6回獲得。令和4年度科学技術分野の文部科学大臣表彰受賞、令和5年春の褒章「紫綬褒章」を受章。

松本 真和（第3章、第4章、第6章、第7章担当）
NECフェロー室長。DXの社会実装に関わるソートリーダーシップ・パブリックアフェアーズ活動を推進。世界経済フォーラムフェロー、SDGsデジタル社会推進機構相談役などを歴任。

伊藤 宏比古（第2章担当）
オープンイノベーションによる研究推進を国内外で入社以来担当。現在はアカデミアとの共創を促す、産学連携推進を担当。担当テーマはAIガバナンスなど。

井出 昌浩（第5章、第6章担当）
コンサルティングファームでデジタル活用支援および人材育成に従事後、2021年よりNECにジョインしコンサルティングサービス事業部門をリード。信州大学特任教授、宇都宮市CDXO補佐官。

島村 聡也（第5章担当）
NECデジタルトラスト推進統括部長・AI統括管理者、総務省AIガバナンス検討会構成員。NECのAIガバナンスを構築・運営、AI事業者ガイドライン作成に参加・尽力する。

執筆者

第3章、第4章

岡田 光代
博士（メディアデザイン学）。コンサルタント、デザイナー、講師として未来創造、デザイン思考、デジタルエシックスなどを活用したプログラムを開発、社内外に提供。

高橋 佳佑
サービスデザイナーとして特にユーザー／生活者のインサイトを導出するインタビュー等のデザインリサーチスキルを軸にして、お客さまの新事業創造や業務変革の支援に取り組む。

町田 正史
NECデザインコンサルチームディレクター。デザインシンキングフレームワークを活用し、ユーザーのユニークインサイトを導出する事業開発を得意とする。

宮内 コスモ

サービスデザイナーとしてUI／UXのデザインスキルを磨きつつ新規事業開発や業務改善DXに従事し、横断的なグローバル案件の創出に取り組む。

第5章

石井 里奈

顔認証システムの精度評価を経験後、生体認証やAIの人権リスクマネジメントに従事。

久保 雅洋

NECバイオメトリクス研究所ディレクター。医療ヘルスケア領域におけるAIの研究開発のダイレクションを担当。臨床現場における課題分析、解決アプローチの考案、効果検証、商用化に従事。

鮫島 滋

法務・コンプライアンス部門を経て、近年はAIガバナンスの構築・整備、AI倫理、人権リスクマネジメントに従事。AI法研究会メンバー。

徳島 大介

AIやデータ利活用におけるプライバシーなど人権への対応に従事。データ社会推進協議会（DSA）データ倫理プライバシー研究WG主査。

永沼 美保

NECデジタルトラスト推進統括部主席プロフェッショナル。内閣府 人間中心のAI社会原則会議構成員。トラスト、AI、セキュリティ等を中心に、グローバルルール形成、国際標準化活動を推進、ガバナンス構築に従事。

平田 健二

NEC入社後、エンジニア、コンサルタントを経て、事業機会探索（市場・規制調査、技術トレンド分析など）を行うチームをリード。顧客・スタートアップ・大学等との、オープンイノベーションのアプローチによる新規事業開発に取り組む。

山田 博一

産総研デザインスクール1期生として、KAOSPILOTをはじめとしたデンマークのビジネスデザインについて学ぶ。現在は起業参謀としてNECソリューションイノベータで新規事業開発プロジェクトに従事。

第6章

新川 量子

2003年東北大学大学院博士前期課程修了、マックス・プランク国際私法・外国私法研究所客員研究員を経て、レギュレーション対応やコンプライアンスの推進に関わるアメリカ企業に9年間勤務、2019年NEC入社。マーケットインテリジェンスやエンタープライズ領域の企画に従事。

山本 正武

トラストやソーシャルを起点とした事業機会探索を担当。AIやデータ利活用を中心にクライテリアを開発、ガバナンス活動に従事。

杉山 洋平
金融領域におけるＡＭＬ等のリスクテックやＡＩ・データ分析等を起点とした事業開発を担当。金融機関の実務をＡＩで高度化・効率化する案件を多数リード。

（付録）
北村 弘
経済産業省ＡＩ事業者ガイドライン検討会委員、東京大学ＡＩ監査研究会研究員、産総研ＡＩＱＭ講座講師／ＡＩ標準化委員会委員、ＳＣ42専門委員会エキスパート、ＣＤＬＥ ＡＩリーガル長。世界初のＡＩマネジメントシステムの国際規格「ISO/IEC 42001」の開発に、日本の専門家として貢献。

執筆協力

八谷 祥太
ARCH Toranomon Hills Incubation Center

松本 真澄
株式会社伊藤園

矢野 弘子
株式会社伊藤園

伊藤 昭人
株式会社伊藤園

渡部 友一郎
Airbnb Japan株式会社 Lead Counsel／日本法務本部長 弁護士

稲谷 龍彦
京都大学大学院法学研究科 教授

重家 雄一
SOLO Wellbeing Ltd ・アジア太平洋地域統括責任者 SOLO Japan代表

張替 秀郎
東北大学病院 病院長 教授

香取 幸夫
東北大学病院 副病院長／耳鼻咽喉・頭頸部外科 科長 教授

中川 敦寛
東北大学病院 産学連携室長 教授

石井 亮
東北大学病院 耳鼻咽喉・頭頸部外科 助教

渡邊 満久
principledrive株式会社 代表取締役

田中 陽介
principledrive株式会社 取締役

安岡 美佳
北欧研究所所長 ロスキレ大学准教授

深澤 亮平
松本市 総合戦略局 ＤＸ推進本部

堀井 將生
松本市 総合戦略局 DX推進本部

松浦 正浩
明治大学専門職大学院 ガバナンス研究科（公共政策大学院）専任教授

外川 綾音
共創型アクションデザインファーム 株式会社Laere（レア）

坂本 由紀恵
共創型アクションデザインファーム 株式会社Laere（レア）

井上陽子
ジャーナリスト

Christian Bason
Founder, Transition Collective／前デンマークデザインセンターCEO

Mikkel Bech
Partner og Founder, Emento

Brian Frandsen
前デンマークデザインセンター シニア・ストラテジック・デザイナー

Rasmus Hartung
CEO, Howdy

Hans Jayatissa
International Digitalization Officer, KMD

Johan Lawaetz
CEO & Partner, KontraPunkt

Susan Liautaud
Founder and Managing Director, Susan Liautaud & Associates Limited/Chair of Council, London School of Economics and Political Science

Bo Linnemann
Founding Partner & Chairman Kontrapunct Japan, KontraPunkt

Philip Linnemann
Executive Creative Director, Kontrapunkt

Derk Loorback
Erasmus University/Dutch Research Institute for Transition (DRIFT)

Christina Melander
デンマークデザインセンター Director of Digital Transition

Lyng Salling
DPO (Digital Protection Officer), Emento

Rasmus Sanko
Charlie Tango

Lea Senderovitz
Charlie Tango

田中 繁広
NEC Corporate SEVP

吉崎 敏文
NEC Corporate EVP兼CDO

企画・編集

押山 知子
新規事業開発などを経て、ＤＸマーケティングに従事。ＮＥＣのＤＸプレゼンス向上に向けて、マーケットインテリジェンスを活用しながらＤＸ事業戦略強化・発信に取り組む。

駒込 郁子
ビジネスデザイナーとしてデザイン思考や欧州手法を取り入れた顧客共創型の新規事業開発にてさまざまなお客さまとのコラボレーション活動を経験後、マーケティングに転向。現在はＤＸのThought Leadership活動やマーケティング戦略を立案&実行。

今岡 仁
（いまおか ひとし）

NECフェロー。1997年NEC入社。脳視覚情報処理の研究開発の後、2002年に顔認証技術の研究開発を開始。世界70カ国以上での生体認証製品の事業化に貢献するとともに、NIST（米国国立標準技術研究所）の顔認証ベンチマークテストで世界No.1評価を6回獲得。令和4年度科学技術分野の文部科学大臣表彰「科学技術賞（開発部門）」受賞。令和5年春の褒章「紫綬褒章」受章。

松本真和
（まつもと まお）

NECフェロー室長。官公庁、金融、通信会社を経て2021年よりNECに参画。新技術の活用に関わる実証推進や国際制度対応、産業界の発展に資する政策提言など、産官学で社会実装を進める役割に従事。現職ではDXに関わるソートリーダーシップ・パブリックアフェアーズ活動を推進するほか、世界経済フォーラムフェロー、SDGsデジタル社会推進機構相談役などを歴任。

伊藤 宏比古
（いとう ひろひこ）

NECグローバルイノベーション戦略統括部産学官連携コーディネーター。地域住民との将来ビジョン作成やインドでのハッカソンによる社会ソリューションの開発など、国内外で多様な価値観を持つステークホルダーとのオープンイノベーション業務に従事。近年は、アカデミアとの共創活動、特にAIに関するガバナンスや倫理についての産学連携活動を担当。

井出 昌浩
（いで まさひろ）

NECコンサルティングサービス事業部門マネージングディレクター。コンサルティングファームを経てNECに参画。専門領域はDX、データ活用、デジタル人材育成、デジタル組織運営。デジタル活用に関し、国際会議・海外大学等での講演や雑誌寄稿なども実施。産業および地域社会のDX推進のため、信州大学特任教授、宇都宮市CDXO補佐官も務める。

島村 聡也
（しまむら としや）

NECデジタルトラスト推進統括部長・AI統括管理者。総務省AIガバナンス検討会構成員。デジタル時代における企業へのトラスト実装を専門とし、NECのAIガバナンス構築・運営を指揮するとともに、グローバルなAIガバナンス議論に参画。日本国内ではAIガバナンス検討会構成員として総務省・経済産業省がまとめる「AI事業者ガイドライン」の作成に参画・尽力する。

デジタルエシックスで日本の変革を加速せよ
――対話が導く本気のデジタル社会の実現

2024年2月27日　第1刷発行

著　者――今岡仁
松本真和
伊藤宏比古
井出昌浩
島村聡也
発行所――ダイヤモンド社
〒150-8409　東京都渋谷区神宮前6-12-17
https://www.diamond.co.jp/
電話／03･5778･7235（編集）　03･5778･7240（販売）

装丁――――新井大輔
カバーイラスト――大塚砂織
執筆協力――井上陽子
編集協力――稲田敏貴
校正――――茂原幸弘
製作進行・DTP――ダイヤモンド・グラフィック社
印刷――――新藤慶昌堂
製本――――ブックアート
編集担当――田口昌輝

ISBN 978-4-478-11869-6